JN041724

「人権」がわからない政治家たち

小林　節　慶應義塾大学名誉教授

はじめに……いまの自民党はもはや「保守」ですらない

本書は、過去数年にわたり『日刊ゲンダイ』に自由に書かせてもらったコラムをまとめて加筆したものである。それは、現実の政治的な課題について、民主主義と人権を守るという観点から評価を加え、解決策を提案したものである。

私の思いは、野党の支持者だけでなく、真の「保守」を自認する人にこそ問題に気づいてほしいということである。本来の「保守」は、正しい歴史認識を持って、よきものを守り発展させていく立場のはずである。そういう意味で、いま、権力を私物化して大衆の幸福に対する責任感を無くした政治家が「保守」派だとは思えない。私の知る保守派は、知的で礼儀正しく、正義感と他者への思い遣りがあった。だから、真の「保守」派の人々こそ、誇りを持っていまの政治を叱り飛ばすべきである。

「モリ・カケ・桜・東北新社」など、一連の政治スキャンダルはもはや度を超えている。これは国民全体の公共財が一部権力者の私物にされていることに他ならず、大多数の国民は明らかに怒っている。しかし、それでいて有権者のほぼ半数が選挙で棄権してしまっていることも事実で、それが権力者を増長させ、公僕である官僚までが権力者の下僕に成り下がった感がある。

その結果、法治国家と法の下の平等が蹂躙され、それは権力者による壽法破壊であり、その被害者は主権者国民大衆である。

小選挙区制の下では比較多数の票を得た側が過大な議席を得て絶対的な権力を握る。実は、与野党の総得票数の差は大きくない。だから、野党共闘が実現すれば。政治に倦んだ国民に希望が生まれ投票率が上がり、確実に政権交代が起きる。そうすれば、政府が隠蔽してきた悪事の証拠が開示され、政治改革が一気に進むはずである。

加えて、自民党が行っている憲法破壊を後付けで正当化するために提案しているような憲法「改悪」の計画も葬ることができる。

これまで『日刊ゲンダイ』で私に自由に書かせて下さった寺田俊治社長と小塚かおる第一編集局長、そして本書の編集を担当してくださった石井康夫出版事業部ディレクターにこの場を借りて心からお礼を申し上げる。

2021年5月3日

小林　節

目次

第2章 「憲法問題」はわれわれの日常生活のどこにでもある――055

――「基本的人権」と「国民主権」を忘れてはならない――

「学問の自由」と「日本学術会議」問題――119

「カジノ」問題、N国問題――131

第5章 「自衛隊加憲論」は間違いと危険性に満ちている――187

――「平和主義」を破壊する勢力の嘘に騙されるな――

第6章 主権者として知っておくべき憲法基礎知識19

——憲法の「改悪」をさせないために——

カバー・本文デザイン　稲野　清・川口チエ（ビー・シー）

第1章

「基本的人権」と「国民主権」を破壊する政治を許してよいのか

――無知と矛盾の自民党改憲論――

■憲法は「国の目指す形を掲げる」ものだが、何よりも「権力者を統制する」ものだ

2019年10月4日の所信表明演説の中で、安倍内閣総理大臣（以下首相）（当時）は持論の改憲に触れ、「未来を見据えながら、この国の目指す形、その理想をしっかりと掲げるべき時です。新しい国創りを進めていこうではありませんか。その道しるべは憲法です」と述べた。ここに自由民主党（以下自民党）の憲法観が端的に表れている。

世界の常識、法学の基礎知識としては、憲法の第一の役割は、国家権力という強大な力を預かる政治家以下の公務員（つまり「権力者」たち）を縛る規範である。

もちろん、典型的には、第2次世界大戦で敗北したわが国が、大日本帝国憲法を廃して日本国憲法を制定した時のように、憲法が「新しい国創りの道しるべ」であることも間違いはない。

当時、わが国は、天皇主権国家から国民主権国家に変わり、軍国主義国家から平和主義国家に変わり、人権が保障されていなかった専制国家から人権を保障する国家に

変わる……ことを決定し、それを「この国の目指すべき理想」として掲げた。その結果が、20世紀後半にわが国が体験した繁栄であった。

ただ、それも、「憲法」である以上、それは、国民主権国家なのだから国の主としての天皇が国民に人生の訓示を垂れる「教育勅語」は公式に用いてはならない、国策遂行の手段として戦争に訴えてはならない、少数者の意見を多数決で「反日的だ」などと決めつけて封殺してはならない、といった「命令」を権力者たちに向けた規範だ……と理解されるべきものである。

自民党議員と憲法論議をしていて驚かされることは、「権力を規制する『制限規範』としての憲法もあるが、権力に授権する『授権規範』としての憲法もあり、私は後者を採る」などと公言して憚（はばか）らない者が多いことである。その立場でいけば、「権力者」は憲法で授権された後は自由で、まるで「神の子孫」を自称していた中世の国王の如く、何ものにも制約されずに自由に権力を行使できてしまうことになる。

憲法が三権を国会、内閣、最高裁に授権した意味は、三権は他権力の領域と国民の人権を侵害せずに権力を行使せよ……という命令なのである。

■お粗末すぎる自民党の改憲「進化論」

２０２０年6月19日、自民党の広報が公式ツイッターで発信した4コマ漫画が物議を醸した。それは、要するに「ダーウィンの進化論によれば、生き延びることができるのは、最も強い者でも最も賢い者でもなく、『変化できる者』である。だから、日本を発展させるためには憲法改正が必要である」と主張している。

まず、各個体に「意志」が存在しない動物と植物が自然環境に適応「させられて」変化した過程を、意志がある人間の集団行動である政治や歴史に適用しようとする点からして、もとより無理筋な話である。

それに、一読して「大日本帝国憲法（明治憲法）現代語訳」と見紛う日本国憲法改正草案（２０１２年）をいまでも堂々と掲げている自民党に「進化（優れたものへの発展）」を説かれても片腹痛いとしか言いようがない。

自民党の草案には、文字どおり「反憲法的」なことがいくつも明記されている。まず、本来は主権者国民の最高意思として権力担当者を縛る法である憲法（現99条）を、権力担当者が一般国民に守らせるもの（草案１０２条）に変えようとしている。また、首相が緊急事態を宣言したら、内閣は行政権に加えて、国会から立法権と財政権を奪い、地方自治体から自治権を奪い、国民は公の命令に従う義務を負うこと（草案98条、99条）を提案している。さらに、草案は、選挙制度を定める際に「一人一票の原則」を軽んじてもよい（47条）と定めている。それこそ、憲法論の「退化」であろう。

だから、今回のツイートは、長い歴史の中で多数の尊い犠牲を払いながら、民主的政治制度と憲法理論を「進化」・発展させてきた人類の英知に対する冒瀆（ぼうとく）である。

私は、自民党の中にも聡明で教養のある議員や政策スタッフがいることを現実に知っている。にもかかわらず、このような無意味というよりも「無知で無恥」としか評しようのない広報資料が発信された現実を前にして、長期政権の末期症状のひとつだろうと言っておきたい。

湯水のように政党助成金（税金）を使って、癒着した党幹部と広告代理店が無駄な予算消化を行ったとしか思えない。これでは論争にもなりようがない。

意味不明な自民党女性局「改憲」啓蒙（けいもう）冊子

自民党女性局が「幸せのカタチ：私たちの憲法」という小冊子を発行した。党是（とうぜ）の

「改憲」原案の国会発議に向けた環境を整える活動の一環である。

まず、「憲法は国の政治の仕組みを定め、ひとりひとりの幸せのカタチを守る基本的なルール」で「幸せのカタチは時代によって変わっていく」として、「過去70年で人々の生活は変わったのに日本は1回も改憲していない」という趣旨の問題提起(?)をしている。

その上で、他国の憲法に話題を移し、イタリアでは「歴史的遺産の保護」が、リトアニアでは「親を尊敬する義務」が、さらに、アイルランドでは「同性婚を認めること」が憲法に明記されているなどが紹介されている。

そして、自民党の思いとして、現憲法の「国民主権」と「基本的人権の尊重」と「平和主義」は変えない、としている。その上で、自民党は、①自衛隊の立場を明確にして自衛隊を働きやすくする、②大災害の時に国が素早く対応できるようにする、③各都道府県から最低1人の国会議員を出す、④子供が望む教育を受けられるようにする……ために改憲したい、としている。

しかし、すべてが嘘くさい。

まず、大前提としての「憲法は国民の幸せを守るために『権力者が守るべき最高法』である」という重要な点が語られていない。

また、それぞれに歴史的背景の違う他国憲法の特にユニークな規定を今、日本で紹介しても何ほどの意味もないのではなかろうか。

また、「国民主権」を守ると言いながら政治を私物化している「権力者主権」状態の政党が、選挙演説に対するヤジを警官を使って排除しながら「人権尊重」を約束し、海外派兵(戦争)の手続きを立法しておきながら「平和主義」を語っても、それは明らかに説得力に欠ける。

さらに、自衛隊の立場はすでに自衛隊法などに明記されている。大災害には災害対策基本法などですでに十分に対応できる。各都道府県の代表1人以上を国会に送ると言って「一人一票」の原則を否定するのは本末転倒である。教育の充実は法律と予算を整備すれば済む話である。だから、全て、改憲の必要はない。

「教育勅語」の活用など、正気の沙汰ではない

2018年10月2日、柴山昌彦(しばやままさひこ)文部科学大臣(当時)が就任直後の記者会見で教育勅語の活用に論及した。いわく、「現代風に解釈されたりアレンジした形で使える部分は十分にあり、普遍性を持っている部分が見て取れる。同胞を大切にするとか国際

的な協調を重んじるとかいった基本的な内容を現代的にアレンジして教えていこうという動きも検討に値する」。

しかし、原文を確認してみたが、「同胞を大切に」という趣旨は「親孝行、兄弟仲良く、夫婦仲良く、友人と信じ合い、他者に博愛の手を差し伸べ」から明らかであるが、「国際協調」はどこにも読み取れない。

ところで、「同胞を大切にする」ことは、確かに普遍的な価値で、誰も否定できない。しかし、それを教育に生かしたいならば、単に「同胞を大切にしなさい」と教えれば済む話で、教育勅語を持ち出す必要などない。

改めて指摘しておくが、教育勅語の趣旨は、後半部分に明記された、「危急の時には、正義心から勇気を持って公に奉仕し、よって、永遠に続く皇室の運命を助けよ」と国民に命じている点である。

そもそも、「勅語」という法形式自体が、国の統治権を総攬（そうらん）していた天皇がその大権に基づき直接「臣民（しんみん）」に「下賜（かし）」する意思表示で、当時それが憲法の付属文書のような法的拘束力を持っていたことは歴史的事実である。そして、それが、第2次世界大戦の敗北に至った軍国主義を支えたことも史実である。

だからこそ、敗戦直後の昭和22（1947）年に教育勅語に代わる教育基本法が制定され、翌23（1948）年に衆参両院が勅語の失効を確認する決議を行ったのである。

にもかかわらず、日本国憲法の下で教育勅語を「アレンジして」教育に用いよう……という発想はもとより論外であるが、あろうことか「文科大臣」が就任直後の記者会見でそのような発言をしたとは、にわかには信じ難い。

念のため付言しておくが、憲法99条は「天皇又は摂政及び国務大臣、国会議員、裁判官、その他の公務員は、この憲法を尊重し擁護する義務を負う」と明記している。ちなみに、柴山大臣は弁護士である。

「大学の自治」を理解しない自民党文科族議員

憲法23条は「学問の自由」を保障している。それに「大学の自治」の保障も含まれていることは、世界の常識である。

イタリアのボローニャで11世紀に始まった大学という仕組みは、その後、フランス、イギリスで発展し、アメリカで完成した。

大学の自治は、大学で何を研究し、誰にどう教授し、成果をどう発表するか……は教授団（学者）が自律的に決めるべきことで、外部からの介入を許さない……という趣旨である。

このような憲法原則が確立した背景には、長い歴史的闘争があった。学者は、文学、医学、法学等、そのきっかけは何であれ、研究を通して人間、社会、ひいては宇宙の真理を発見しようと邁進（まいしん）している人々である。だから、その結果、政治権力にとって不都合な学説を発表した学者が政治的弾圧を受けた例は枚挙にいとまがない。

天動説が常識であった時代に天文学の成果として「地動説」を発表したガリレオ・ガリレイが17世紀のイタリアで弾圧された話は特に有名である。わが国でも、大日本帝国憲法の下で「天皇機関説」を唱えた美濃部達吉東大名誉教授が貴族院議員を辞任させられた話も有名である。

このような歴史的背景があって、1946年に制定された日本国憲法の23条は、学問の自由の不可欠な前提として、そこには当然に「大学の自治」が含まれていると理解されてきた。

だから、どのような学生に入学を許可するか？　つまりどのような入学試験を行うかは、憲法上、各大学の自治事項とされてきたのである。もちろん、経験豊富な大学人が集まって合理的な統一1次試験を作り上げていたのも、大学の自治の成果である。

にもかかわらず、公正性の保障のない民間の営利企業に大学入試を丸投げする……などという、大学の自治の根幹に関わる問題だけに、大学界からの当然な抵抗を前にして、法律・予算・人事で文科省を支配している与党の議員が、文科省に対して東大を「指導」することを要求するなどということは、憲法23条に照らしてあってはならないことである。

このような知性に欠ける政治権力者たちが文明国日本を破滅へ導いてしまうのではないか、本当に心配である。

安倍代議士の「嘘」を見逃すな！自衛権を黙って拡大しようとしている

2020年2月12日の衆院予算委員会での辻元清美（つじもときよみ）議員との質疑で、安倍首相（当時）は聞き捨てならない本音を漏らした。

それは、自衛隊を合憲化するために憲法に自衛隊を明記する……という首相の改憲案に対して、辻元議員が「ならば、その改憲案が国民投票で否決されたら、自衛隊は違憲と確定するのか？」と質問したことに対する回答である。

首相いわく、「必要な自衛のための措置を取り得ることは国家固有の権能として当然のことで、（自民党の）改憲案が否決されても自衛隊が合憲であることは変わらない」。

確かに、国際法上は、日本も独立主権国家として、侵略を受けた場合には固有の（つまり先天的な）個別的および集団的自衛権を持っていることは認められている（国連憲章51条）。しかし、その権利の行使を自らの憲法で自制することは各国の自由である。

その点でわが国は、第2次大戦での敗北を反省して、憲法9条2項で、（自衛）戦争に参加する国際法上の条件である「軍隊」の保持と「交戦権」の行使を自らに禁じている、ユニークな平和主義国家なのである。

従って、自衛隊を戦争用の「軍隊」とみなすことは違憲になってしまうので、65条の行政権の一部「警察権」のうち、警察庁と海上保安庁の能力を超えた事態に対応する権能を担う機関であると自衛隊は位置づけられている。そして、警察には海外で戦争を遂行する資格はないので、「集団的自衛権の行使（他国に援軍として行くこと。つまり海外派兵）」は禁止され、これが政府自民党のいままでも公式の立場である。これは「必要・『最小限』」の自衛ともいわれている。

この限界を突破すべく、安倍自民党は2018年に「必要な自衛のための自衛隊を保持する」という改憲案を党議決定した。つまり、現在の「必要・最小限」の自衛から「最小限」を外して海外派兵を可能にする案である。だから、これが否決されたら論理的には現行憲法9条2項に違反する海外派兵の違憲は確定する。

■正直に答えてほしい！ 自民党改憲案と安倍首相（当時）発言の矛盾

日本国憲法を改正することが安倍前首相の持論であることは公知の事実である。とはいえ、改憲には大変な政治的エネルギーが要ることも事実で、安倍代議士の最近の発言によれば、「自衛隊」の加憲だけに焦点を絞ったように見える。

いわく、「現行9条に『自衛隊』という文言を加えるだけで、9条の意味は変わらず、『平和主義』と『専守防衛』の原則も変わらない」。これは何回も聞いた記憶がある。

そして、2018年3月の自民党大会（党の最高機関）で憲法改正推進本部長一任とされ、その後、党総務会（党の常設の最高機関）で承認された「条文イメージ」（たたき台案）4項目の1番目、「自衛隊の明記」は次のように書かれている。

「9条の2：前条（現行9条）の規定は、わが国の平和と独立を守り国および国民の安全を保つために『必要な』自衛の措置をとることを「妨げず」、そのための実力組織として……自衛隊を保持する」

つまり、これが自民党の最新の公式の改憲案であり、その最高責任者は安倍総裁（当時）である。

この条文案は、はっきりと次の2点を明記している。①現行9条は新9条の2を「妨げない」、つまり、両者が矛盾したら新9条の2が優先する。②これまでは9条の故に「必要・最小限」の自衛（つまり「専守防衛」）としてきた政府見解を、今後は憲法明文で「必要」な自衛に拡大する……と明記している。

これは、前述の安倍発言と明らかに矛盾する。

自民党は、このような改正条文案を公式に決定しておきながら、いま、全国で積極的に展開している改憲広報活動で、条文案の説明は一切行っていない。そして、現在の国際情勢下における国防力強化の必要性と米国から押し付けられた憲法を改正して実質的に明治憲法体制を復興させる必要性……ばかりを強調している。

ここは、「丁寧な説明」をする意欲を常に表明してきた最高責任者・安倍首相（当時）に、ご自分の度重なる発言と党の公式の条文案の矛盾について、説明してほしい。

嘘の改憲キャンペーンをやっている自民党

２０１９年5月28日付の自民党青年局ニュースによれば、同党は、例年どおり5月31日の大分県を皮切りに6月16日の福岡県に至るまで、全47都道府県で、「青年部・青年局全国一斉街頭行動」として「拉致問題の解決」と「憲法改正」について街宣活動を展開した。

添付された資料によれば、改憲の論点は、党大会で承認された①「自衛隊」の憲法条文への明記②緊急事態条項の新設、③参院選挙区の合区解消、④教育の充実である。ところが、冒頭に掲げられた資料の第一の説明文が、「現行憲法の『国民主権』『基本的人権の尊重』『平和主義』の三つの基本原理は堅持しつつ、憲法改正を目指します」とある。

しかし、これは明白な嘘である。

第1に、憲法条文中に「自衛隊」と明記する案は、公刊された自民党の説明を読めば明らかなように、これまでは公式に「必要・最小限」の自衛とされてきたものを「必要」な自衛に拡大するものである。つまり、これまでは政府見解で「必要・『最小限』の自衛」とされてきたものを、「必要」な自衛に拡大することにより、いままでも公式には原則としてできない海外派兵も政府が「必要」だと判断すればできるようになる。これは、米国と同様に対外的な交渉の前面に簡単に軍隊を出す「軍国主義」に通じるもので、対外交渉の最後の手段としての「専守防衛」しか認めていない現憲法の「平和主義」を否定するものである。

第2に、緊急事態条項は、自民党案では、非常時には、首相に行政権に加えて立法権、財政権、自治体への命令権を与え、国民には命令に従う義務を課すものである。このような制度が大震災でも必要ないことは経験上、明白で、これが「国民主権」と「基本的人権の尊重」を否定することは明らかである。

第3に、合区解消の自民党案は、議席配分について、人口比例をやめ、過疎地に有利に変えるものである。これが法の下の平等に反し、議員を人口比例で選出する民主制に反することは、世界の常識である。つまり、これが「国民主権」と「基本的人権の尊重」を否定することは明白である。

権力者は国民に誠実に向き合うべきである。

■「改憲派」の嘘と無知

２０１９年５月３日の憲法記念日に、改憲派３団体の中央集会をインターネット中継で見た。

話の内容は相変わらずで、「押し付け憲法論」と「国防強化の必要性」と「『憲法』の定義の変更」であった。

「押し付け憲法論」は大要、次のようなものである。つまり、大東亜戦争で敗北した直後のわが国の権力者たちは、天皇制を潰されかねない危険を前に、天皇制を守るために米国製憲法を受け入れざるを得なかった。だから改憲なくしてわが国の再生はない。

しかしそこでは、国民大衆の側には政治に対する拒否権がなかった明治憲法下であの愚かな大戦に突入して負けた権力者たちの責任と、その結果、権力者たちにとっては「押し付けられた」ものでも、新たに主権者になった国民大衆はそれを歓迎して「わが憲法」にした……という事実が無視されている。

ウクライナからの留学生の、軍事的抑止力と国民の国防の意思をなくした母国がロシアに侵略された……という話には一面の説得力があった。しかし、そういう国際政治の本質を前提に9条の改憲を主張している人々が、国防を強化するというよりも米軍の二軍のごとくに米国の世界戦略に盲従する政策を追求している点には、合点がいかない。

私たちが常識として共有している「憲法は国家権力を縛る法」だという定義について、若い女性が、「その定義は中世の国王の絶対権力を縛るための定義」で現代に通用するものではない……と言い切った。しかし、中世の国王は「神」の子孫を自称し、一切の法的規制を受けなかったから「絶対」であったのだ。それが、米国の独立で世界で初めて本来的に不完全な「人間」が国家権力を担うことになったので、以来、権力の濫用を防ぐために「憲法」という新法域が発案されたのである。

さらに彼女は、憲法は、国会に立法権を授ける規定のように、「国家の権力に根拠を与えるもの」でもあると主張した。しかし、憲法の中の立法権の規定は、憲法典全体の中で、三権分立と人権を侵害しない限りで立法は許される……と「制限規範」として読むべきものである。

改憲・護憲論争に参加する者は、法と政治と歴史に関する基礎的な常識は共有していてほしい。

嘘を並べた改憲扇動が着々と進行している

産経新聞の報道によると、2018年11月19日に山口県下関市で開かれた長州「正論」懇話会でケント・ギルバート氏が「自虐史観と憲法改正」と題して講演した。そこで氏は、憲法9条について「いざという時に国民の生命を見捨てることを国に強制するもので、生存権の規定を台無しにしている。憲法9条こそ憲法違反だ」と指摘したとのことである。

しかし、この一文は実に3つもの嘘で構成されている。

第1に、政府・自民党の確立した見解によれば、憲法9条は「緊急時に国民の生命を見捨てろ」と国に命じてはいない。確立された政府見解は、大要、次のものである。

①わが国も、独立主権国家の自然権（だから条文上の根拠は不要）として、他国から侵略の対象とされた場合には反撃する自衛権を有する。

②しかし、9条2項（戦力不保持・交戦権不行使）により、「必要・最小限」の自衛行動しかできないがそれはできる。

③だから、必要・最小限の実力としての自衛権を組織し、専守防衛の方針に従って

運用している。

④さらに、日米安保条約により、日本が費用を負担して米軍に基地を提供し、いざという時に米軍に支援してもらう体制も整えている。

第2に、生存権（憲法25条）とは、「生活保護受給権」のことであり、生命権（13条、31条）とは全く異なる権利概念である。

第3に、憲法9条も憲法典の一部である以上、それが「憲法違反」になることなど、論理上も法学的にもあり得ない。

このように「嘘八百」としか言いようのない暴論を振りかざして、（米国カリフォルニア州）「弁護士」がまるで「専門家」のような顔をして、好意で集まった自民党シンパの人々をいわば「洗脳」して歩いている。この現実を看過してはならない。

こうして洗脳され「囲い込まれた」人々は、最近では、私などの話を「どうせ護憲派の変な話だから」と言って、聞くこと自体を拒否する傾向がある。しかし、改憲は私たち全員の将来を左右する決定的に重大な事柄である。だからこそ、改憲派対護憲派の垣根を越えた「まともな」内容の公開討論が急務である。いまこそ護憲派から挑まないと手遅れになる。

日弁連護憲派を「憲法教」と揶揄(やゆ)した暴論

2018年7月29日、自らも弁護士である自民党の有力議員が、日弁連内多数の護憲派の主張を「憲法教」という「新興宗教」だと揶揄した。

私も弁護士会の会員であるが、護憲派の弁護士たちは、確たる学識に基づいて、現行憲法を正しく実践することこそが世界平和とわが国の安全保障に寄与する道だという見解を主張しているだけである。これは、彼らが、「信教の自由」ではなく、「学問の自由」と「表現の自由」を行使しているのである。それを承知しているはずの者があえて「新興宗教」と呼ぶとは、「議論」以前の、単なる「失礼」であろう。

「宗教」には、主観的に「それを信ずる者にしか見えない世界」があり、それはそれで人間に固有な高度の精神活動として歴史の試練を経て尊重されるに至ったからこそ、信教の自由が人権のリストに載っているのである。しかし、それは、客観的な証拠を重んじる科学とは異なり、そういう意味で、時に、「科学ではない」と見下す手法として「宗教的だ」と呼ぶ論法もある。

しかし、自ら弁護士でもある国会議員が、日弁連の主張を正確に知り得る立場にいながら、かつ、その意味を承知しているはずでありながら、あえてそれを「新興宗教」と揶揄するとは、非礼の極みであろう。

そして、この議員もまた、世間から批判された途端に、「誤解」だと言ってその発言を削除した。しかし、これは断じて「誤解」ではない。その弁護士・議員が憲法について無知であるはずがない以上、それは、人間としての無礼を自ら天下にさらして、それが正しく理解されて、世間から指弾されただけのことである。

ここでひとつ提案がある。それは、日弁連主催で公開討論会を行うことである。その議員に限らず、与党内で憲法9条と安全保障政策に深く関わっている弁護士は何人かいる。だから、それらの弁護士と日弁連憲法問題検討委員会の弁護士が同数で2時間ほどの公開ディベートを行ってはどうだろうか？　きっと、主権者国民が憲法9条と国際政治の関係について理解を深めるための大きな助けになるはずである。

■「義務を果たせば権利を主張できる」という勘違い

2018年7月25日、自民党の若手参院議員が「（憲法上の）義務（勤労、納税、子女教育）を果たせば権利（人権）を主張してよい」と発言した。

それでいくと、失業者で子供のいない者は、参政権、表現の自由、信教の自由、学問の自由、婚姻の自由、職業選択の自由、生存権（生活保護受給権）、不当逮捕からの自由、参政権、生命権等の人権を行使できないことになる。要するに、「死ね！」と言われているに等しい。

しかし、「人権」とは、そもそも「人間」として生まれた、ただそれだけの理由で先天的に与えられたもので、その中核にある価値は「個人の尊厳」である。つまり、人は、単に「人間であるから尊い」のであり、国家に対する義務を果たしたから尊いのではない。

その上で、誰でも、自分が正しいと思う投票行動を行い、自分らしく表現し、自分の好みに従い信心し、自分が選んだ対象と手段で科学し、自分の心に従い結婚するorしない自由を享受し、自己実現の手段として職業を選び、運悪く経済的弱者になってしまった場合には再起に向けて国から生活保護を受ける資格があり、国家権力により冤罪（えんざい）に追い込まれない自由等が保障されている。

その結果、それぞれ、働くことができて経済的余力が出たら納税の義務を果たし、結婚し子づくりを選択した場合にはその子を教育する義務を履行する。

ここで重要な点は、勤労の意欲があっても失業した場合は仕方ないことで、結婚と子づくりは各人の自由でそれは国家から強制されないということである。その結果、子を成さなかった者には子女教育の義務は具体化しないだけである。

このような憲法のイロハ（人権の本質）も理解していない者が政権党の国会議員であることは、わが国の政治の劣化を象徴する事実であろう。

そして、その愚かな発言が非難されると即座に「誤解」だと言って釈明する。これもいつものパターンである。

しかし、これは断じて「誤解」ではない。その者が自ら天下に無知をさらして、それが正当に批判されただけのことである。「恥知らず」とは、そのような者を言う。

「国民主権」か「国家主権」か？

「主権」という概念は、政治学と法律学の基本単語のひとつである。それには、国内的意味と国際的意味の2種類がある。

国内的意味での主権は、「自国の国民と領域（領土・領海・領空）を統治する国家の最高権力あるいは権威」である。国際的意味での主権は、「自国の運命は、他国に干渉されず、自国で決める、つまり自国の独立を支える国際法上の力」である。

そして、その主権を一時的に預かる個人（つまり権力者）が「国家」という法人の名義で具体的に主権を行使することになる。

主権に関しては、かつて、「国民」主権か「君主」主権か？ が問われた。それは、主権は国民大衆のものか世襲の国王（天皇）のものか？ という問題である。

この点について、日本国憲法（１９４６年）は明確に結論を下している。つまり、「主権が国民に存し」「国政の権威は国民に由来し、その権力は国民の代表者がこれを行使し、その福利は国民が享受する」と明記されている（1条、前文1段）。これは世界の常識でもある。

だから、わが国では、主権は「国民」大衆のもので、「権力担当者」がそれを一時的に預かって「国家」の名義で行使し、その目的は国民大衆の幸福の増進である。

この関係をとらえて、「国民」主権ではなく「国家」主権である……と主張する者がいわゆる保守派の中にいる。私も過去40年間の憲法論争の中で、たびたびそういう主張に遭遇した。

しかし、「国家」などという架空の法人格を主権者だとする主張は、要するに、現実に権力を預かっている権力者たちが「俺たちに文句を言うな！」と言っているようなもので、明白に論外である。

しかも、歴史の教訓が示しているように、人間は誰でも本来的に不完全であるために、一時的に国家権力を預かる者が私利私欲に負けて権力を乱用した事例は枚挙にいとまがない。だから、人類は、知恵を出して、権力の乱用を予防・匡正する仕組みを作りあげてきた。三権分立、二院制、議院内閣制、司法の独立と違憲審査制、普通選挙制度、情報公開制度、弾劾、公職の任期制と多選禁止と定年制、刑法の涜職罪、表現の自由などである。

■櫻井よしこ氏の筋違いな改憲論

報道によれば、２０２０年12月19日、安倍晋三前首相の選挙区・山口県下関市内で櫻井よしこ氏の講演会が開かれた。

講演の中で、櫻井氏は、軍事的に尖閣諸島を取りに来る準備をしている中国の膨張主義に対して、「日本は主権国家として国土を守らなければならない」と指摘した。その上で、「①『国土・国民を守るために戦う権利を認めない』という縛りのある現行憲法では、②『日本の行動は大幅に制約される』。③このような憲法は改正し、『国家の意志を示す必要がある』」と強調したとのことである。

しかし、この主張は、前提となる憲法知識が間違っている。

政府自民党の公式な憲法9条の解釈は次のとおりである。

①9条1項は「国際紛争を解決する手段としての軍事行動」を禁じている。これは、国際法の常識として、「侵略戦争だけの禁止」である。だから、わが国も国際法上の自然権としての『自衛権』は保有している。

②ただし、9条2項で戦力の保持と交戦権の行使（つまり国際法上の戦争の手段）が禁じられており、自衛のためであれ国際法上の「戦争」はできない。しかし、自衛（警察活動）の手段としての「必要・最小限」（相対的概念）の自衛隊は保持できる。

③だから政府自民党は、「自衛隊は合憲であるという確信を持って」それを法律と予算で設立し保持してきている。その任務は「わが国（つまり国土と国民）の平和と独立を守ること」であると自衛隊法1条に明記されている。

このように、現行憲法の下で、わが国は、日本の経済力、技術力、人的能力に見合った、世界有数の自衛力を現に有しており、必要に応じてそれを行使すると明らかにしてきた。そして、そのような力と意思の存在が今、わが国の平和と独立を現に守っている。

だから、尖閣諸島の領有権の危機が問題であると言うのなら、不正確な話で改憲論を煽るより、防衛予算の合理的な使い方を促し、陸海空自衛隊の装備と配置を尖閣防衛により有効なように変更することを提案するのが筋であろう。

先に改憲ありきで立論したような、筋違いで無責任な議論はすべきではない。

改憲発議　北朝鮮・中国脅威論の勘違い

2018年5月3日に都内で開催された「今こそ、憲法改正の国会発議を！」と題された集会で配布された資料は、次のことを強調していた。

――北朝鮮による核開発とミサイル発射や中国による海洋覇権を目指す露骨な軍事行動により極東情勢は緊迫化しており、「自衛隊」の憲法明記により、日本国民の「国を守る意思」を内外に表明することは喫緊の課題である。また、首都直下型大地震等が予測される中、「緊急事態条項」の新設は、国家の危機に際して憲法秩序を維持し、国民の生命財産を守るために不可欠である――。

しかし、これも嘘に満ちている。

まず、北朝鮮の核ミサイルはわが国を攻撃するためにあるのではない。それは、イラクのフセイン体制やリビアのカダフィ体制の場合のように、米国が直接・間接に力を行使して「金王朝」体制を倒すことができないようにする「保険」であることは明らかだ。もしいま、北朝鮮が日本を攻撃したら、日米の反撃で金体制はひと月ほどで滅びてしまう。そんな愚かなことを金委員長（当時）がするはずはない。

　同じく、中国が覇権国家であることは明らかだが、かつて中国が台湾とベトナムに軍事侵攻を試みて、専守防衛の両国に追い返された事実を忘れてはならない。それに、日米中３国は経済大国として複雑に依存し合っており、歴史的にも国際法上も全く根拠のない尖閣諸島に侵攻して、中国が第３次世界大戦を始めるメリットは何もない。

　だから、北朝鮮と中国の脅威を口実に自衛隊を米軍の二軍のようにするための改憲提案には正当性がない。それに、米国の言い値で米国製兵器を購入させられて戦費破産に向かっている政策は愚かである。

　いまは、物騒な改憲案などは必要なく、日本の能力を傾注した専守防衛に徹しながら、１００近くも米軍に基地と費用を提供している安保条約を堅持すれば十分なはずである。また、震災対策も、首相に立法権と財政権と地方自治体に対する命令権まで与えて独裁者にする改憲など全く必要がない。日弁連が実証したように、大震災の際には被災地の自治体の首長に権限を集中することこそが迅速な措置を可能にし、有効である。冷静な議論をすべきであろう。

■嘘と矛盾の自民党9条改憲提案

2018年5月1日の「新しい憲法を制定する推進大会」で配られた、自民党憲法改正推進本部作成の文書には次の趣旨が明記されていた。

——憲法9条2項は、「戦力の不保持」と「交戦権の否認」を規定しているが、この条項の下で、冷戦による国連の機能不全に直面したわが国は、現実的対応として①「専守防衛」の枠内で自衛隊を創設し、②国際貢献においても、憲法の枠内で武力行使を伴わない支援活動に自衛隊を活用してきた。この自衛隊の活動は多くの国民の支持を得ている。

他方、自衛隊を違憲という学者等は多く、改憲により自衛隊を憲法に位置付け、違憲論は解消すべきである。現行の9条1項2項およびその解釈（専守防衛）を維持した上で、自衛隊を憲法に明記し、自衛権にも言及すべきである。条文の素案としては、「国の平和と独立を守り国及び国民の安全を保つために『必要な自衛の措置をとり』そのための実力組織として『自衛隊を保持する』」とする——。

しかし、これは嘘と矛盾に満ちている。

第1に、これまで「専守防衛の枠内で武力行使を伴わない国際貢献に自衛隊を活用してきた」と言うが、まず、イラク戦争時の米軍の空輸とアフガニスタン戦争時の米軍への給油は、自らは引き金を引かなくても、米軍の武力行使との一体化そのものである。さらに、２０１５年の新法で、「存立危機事態」か「重要影響事態」だと政府が認定したら海外派兵ができるようになった。これらは専守防衛の枠内と言えるのか？　いずれも無理であろう。

第2に、「専守防衛を維持した上で自衛隊と自衛権を憲法に明記する」と言うが、これまでは「必要『最小限』の実力」だから合憲だとしていた自衛隊を単に「必要な自衛の措置」と再定義（拡大）することの、どこが現行解釈の維持なのか？　明白な嘘である。

このように、最近の政府自民党には、主権者国民を「愚民」扱いするような、見え透いた嘘で世論を誘導しようとする立論が多すぎる。

むしろ、２０１2年に公刊された自民党改憲草案のように、独立主権国家らしく「国防軍」と「自衛権」の明記を主張するほうがわかりやすく、反対論者とも議論が嚙み合うはずだ。

■自民党「参院選挙制度改革」のご都合主義

まず、全ての前提として、議員は「人間」の代表であり畑や林の代表ではない……という世界の常識を確認しておく。その上で、日本国憲法も選挙区ごとの議員定数の均衡（つまり投票価値の平等）を要求しており（第14条）、最高裁もそのことを再三確認している。

にもかかわらず、自民党は2012年に党議決定した改憲草案で、選挙制度は「人口を基本とし、行政区画、地勢等を総合的に勘案して定めなければならない」としている。これは、「人口比例原則」の骨抜き以外の何ものでもない。

しかし、政治の仕事が権力を用いて、国家の有限な資源を、利害が対立する国民の間に強制的に配分し、各人の天賦の自由を国家の名で制約することである以上、政治権力者（議員）たちの座席は人口に比例して公平に選出される以外にあるまい。

にもかかわらず、人口の他に都道府県の区分などにも配慮して議席を配分し、場合によっては不均衡が生じても構わない……という自民党案は本質的に論外である。

最近まで自民党は、この草案で参院選挙区の合区（鳥取・島根、徳島・高知）を解消する改憲を主張していた。

それが不当であることは前述のとおり自明であるが、今回、自民党はそれと同じ結果を法律の改正で達成してしまった。

まず、「合区解消には前述の改憲が必要だが、それは直近の選挙には間に合わない。そこで、比例区の定員を4人増員し、比例区の1、2位だけは党が優先順位をつける制度にして、2つの合区で次回改選時にあぶれる2人を救済する」という案である。

選挙制度を与党に有利に作ることを、その首謀者にちなんで米国では「ゲリマンダー」と呼ぶが、今回の自民党案はまさに現代のゲリマンダーそのものである。

選挙制度は、〝いかに本質的に公平であるか？〟だけを基準に設計されるべきものである。にもかかわらず、現職の特定の議員の地位を守るという目的だけから提案されたことが明白な今回の自民党案は論外である。

ここにも、政治権力の私物化という安倍自民党政権の体質が露骨に表れている。

国会には疑惑を徹底的に究明する義務がある

閣僚のスキャンダルのたびに、野党は審議を止めて国会で徹底的に追及しようとする。

それに対して与党は、政治を停滞させてはならないから、法案審議をきちんとするべきだ……と言う。

これは、ある意味で、どちらも一方的である。

議院内閣制は、まず国会が総理を指名し（憲法67条）、その総理が閣僚を自由に任免する（68条）。その上で、内閣は、行政事務、法律の誠実執行、法律に従った公務員の統制を行い（73条）、総理はそれを指揮監督し（72条）、最終的には、内閣として国会に対して連帯責任を負う（66条3項）関係にある。

そこには、当然に、法的責任と政治的責任が含まれている。
法律案と予算案の審議を行うことが国会の本務であることは言わずもがなである。しかし、それに加えて、総理が誰を閣僚に任命し、その者が閣僚に値する人材であるか？　を疑わせる重大な事実が発覚した場合、その法的・政治的責任について、内閣は国会に対して連帯して責任を負っているはずである。

そして、その点について、徹底して究明し責任を追及することは、主権者国民の直接代表として国権の最高機関として総理を指名した国会の本務である。

今回は、まず、菅原一秀（すがわらかずひで）前経済産業大臣が選挙区内で法律に触れる現金（香典）を提供したことが、映像付きでほぼ立証されてしまった。加えて、かつて、同代議士が多数の贈り物を有権者に贈っていたことが、文書でほぼ証明されている。

また、河井克行（かわいかつゆき）元法務大臣が妻の参院選の運動員に違法な報酬を上乗せしたこと（買収）もほぼ立証されてしまった。これに対して、両代議士は「国会の審議が遅れては申し訳ない」という理由で閣僚を辞任した。

しかし、当時、この２人の代議士の議員失格にもなり得る不正選挙の疑惑は何ひとつ解明されておらず、誰も何の責任も果たしていなかった。

だから、司直の仕事とは別に、国会は、法案審議と並行して、２人の法的・政治的責任を解明して追及すべき義務があることは忘れてはならない。

混乱に乗じて改憲を主張する不謹慎

新型コロナウイルスの感染拡大を踏まえた対応策の延長線上で、自民党は、憲法を改正して「緊急事態条項」を新設する提案を政治的に先に進めようとしている。

同党は、２０１２年に党議決定した憲法改正草案の99条で次のような構想を示している。つまり、首相が緊急事態を宣言したら、①内閣は、国会から立法権と財政権を奪い、②首相は地方自治体に対する指示権を得て、③国民は公の機関の指示に従う

「義務」を負う。

また、同党が2018年に党議決定した改憲4項目の中でも、緊急時には内閣が立法権を行使できるとしている。

一般に、「緊急事態法制」とは、戦争や天災で国家の存立そのものが危機にひんした場合には、三権分立制度の下でゆっくりと政策を決定・執行している余裕がないため、首相に国家の全権を一時的に集中して迅速に危機に対応してまず国を救おうという考え方を実践するものである。このような制度は、自由と民主主義の確立した諸国にも例外法制として存在する。

だから、その点では、わが国の現行憲法にも、緊急事態法制の根拠条文はすでに明記されている。つまり、13条は「国民の権利は、公共の福祉に反しない限り国政の上で最大の尊重を必要とする」と規定しており、それはすなわち、「公共の福祉（国民総体の重要な利益、例えば国家の存続）が求める場合には国民の人権といえども制約できる」という意味である。

そして、現に、その規定に基づいて災害対策基本法、感染症予防・医療法等の緊急事態法制が整備されている。

今回の新型コロナウイルスに対しては、政府による決定が遅れた政治責任の問題は残ったが、それはそれとして、危機対応の法制、ましてや憲法条文に不備はない。

にもかかわらず、いまのように政治そのものが機能不全を起こしている状況の中で、国民の危機意識を煽り、しかも政治を統制する最高法である憲法の改正（いや改悪）を進めようとする自民党の姿勢は、不謹慎である。

緊急事態条項の最も重要な政治的「条件」は、「信頼できる」政府に大権を託すことである。その点で現政権は失格であろう。

安倍前首相の「的外れ」な憲法論：まず現行憲法を守ってから言え

2020年1月20日の施政方針演説の中で安倍首相（当時）がまた「憲法」について語った。しかし、それは「的外れ」な妄言としか評しようがない。

いわく「国の形を語るものは憲法です」。しかし、憲法の定義を一文で語るなら「国家権力（担当者たち）を縛るものが憲法です」となるべきである。本来的に不完全な人間が国家権力という大権を預かるため、その乱用を予防・匡正するための主権者国民の最高意思が憲法である。その結果、憲法は、「わが国は、王国ではなく民主国家で、人権を保障し、三権分立と地方自治を採用し……」と「国の形」を語ることにはなる。

しかし、憲法の本質は、その国の形を「語る」ことではなく、その国の形を「権力者に守らせる」ことにある。だから、その点に触れようとしない安倍首相（当時）の憲法観は的外れである。

しかも、安倍政権は、史上最も露骨に憲法を無視した政権である。自民党政権が確立した解釈では、9条の故にわが国は海外に「戦争」に行けない国であった。しかし、その戦争を解禁したのが安倍内閣である。

他に、マイナンバー制度を強行し全国民のプライバシーを国の管理下に置いた。政府を批判した放送局を、「公平性」と電波の許認可権を盾に申し入れ、黙らせてしまった。すべての国民が法の下で平等であるはずだが、首相と親しい者ならば行政によって優遇されて許される悪例をつくってしまった。

わが国は福祉国家であるはずだが、年金、健康・介護保険の給付水準の引き下げが常態化し、自己責任の名で学生が学費ローン漬けになっている。他にも枚挙にいとまがない。

このように、安倍政権は明らかに憲法尊重擁護義務（99条）に違反していた。

平成が令和に代わったのは天皇家の自然な世代交代であり、それにより世界の歴史が質的に変わったわけではない。にもかかわらず、「新しい時代を迎えたいまこそ、未来に向かってどのような国を目指すのか、その（改憲）案を示すのが国会議員の責任だ」などと妄言を言われても、同意のしようがない。

以上、もとより憲法を守る気のないことを実証した安倍代議士から「新しい憲法を」などと言われても、信用できるものではない。

■憲法破壊者の改憲提案は論外：「安倍政権下での改憲には応じない」の意味

2020年11月1日、政治活動を再開した安倍前首相が、「安倍政権下での改憲論議には応じない」としていた野党に対して、「いまは菅政権なので、もうその言い訳は通用しない」と挑発した。

しかし、話がまったく噛み合っていない。

安倍政権の時代に野党が主張していたことは、何よりも、「現行憲法を無視する安倍政権が提案する改憲案など論外だ」ということである。つまり、「閣議決定（違憲な解釈変更）と違憲な立法と人事権を乱用した違憲な記録の破棄・改ざんにより、現行憲法を無視し続けてきた安倍政権が、その憲法破壊状態を固定化しようとして提案する改憲案など、相手にする価値がない」ということである。

試しに、安倍政権下で新たに提案された改憲4項目を見てみても、あまりにも非常識な内容である。

①憲法典の中に「自衛隊」と明記して、自衛隊違憲論争を終わらせる提案は、それだけで「現状を何も変えるものではない」と強調された。しかし、その示された条文案は、今後は「必要」な自衛隊を保持するという提案で、現在の「必要・最小限」の自衛隊を黙って拡大するトリックのようなものである。

②非常事態に首相に立法権と財政権も託して人権を停止する「緊急事態条項」は、現行憲法の13条に明記された、「公共の福祉」により社会の存続を維持するために人権も例外的に制約できるという規定で十分である。

③参議院選挙区（地方区）の「合区を解消する」案も、衆参ともに「一人一票の原則」を明文で軽視する、差別選挙制度の提案以外の何ものでもない。

④「教育の充実」に至っては、国会で法律と予算を通せばできることで、そもそも憲法で定めるべき事項ではない。

だから、このように筋違いでかつ「嘘つき」のごとき憲法改悪提案に野党が対応拒否の姿勢を貫いただけのことである。

その上で、このような改憲自体を目的化した「お試し改憲」を経て、「明治憲法現代語訳」のごとき2012年改憲草案を実現しようとしている自民党の安倍後継内閣（菅政権）に対しても、主権者国民は同じく警戒を怠るべきではない。

自民党の改憲案を皆で笑いとばそう

自民党は、2019年の運動方針の中で、安倍総裁（当時）が意欲を示す憲法改正に「道筋をつける覚悟」を明記した。しかも、7月の参院選挙までは政権は改憲国民投票を発議できる両院それぞれ3分の2以上に支えられていた。だから、安倍政権の常套手段になった問答無用の多数決で、改憲の発議は可能であった。

しかし、改憲が成立するためには国民投票で過半数が賛成しなければならない。その点で、国政選挙で5連勝した安倍政権（当時）も、実は、多数派に有利な選挙制度と自公選挙協力に助けられて、4割台の得票で7割台の議席を得ただけで、有効投票の過半数に支持された経験はない。

しかも、野党の抵抗にあって、憲法審査会で自民党の改正案を提示することもできていない。そこで、読売新聞によれば、安倍首相（当時）は「『自民党に主張もさせないのはおかしい』という国民の声が高まってくるのを、じっと待つ」と語っていたそうである。

しかし、その自民党の改憲4項目は実に怪しげなものである。

①憲法9条に「必要な自衛を行う自衛隊を保持する」と書き込む案は、要するに、政府の判断で世界のどこへでも派兵できるようにすることである。しかし、わが国にはそんな必要も能力もない。

②緊急事態条項は、大災害時に、国と地方の権力を首相に集中する案である。しかし、実体験からは、被災地の自治体に権限と資源を集中することの必要性こそが明らかである。

③参議院選挙制度の改革案は、実は、衆議院選挙についても「一人一票の原則」を否定するとんでもない代物である。④教育の充実に至っては、法律と予算でできることで、憲法に書き込む必要などない。

このように「いかがわしい」としか評しようのない自民党改憲案について政界で議論が進んでおらず、安倍首相（当時）が「国民の声の高まりを待」っていたのならば、むしろ、最終的な決定権を有する私たち主権者国民自身が、自民党の「改正」と称する「改悪」案を積極的に分析し、笑い飛ばして、「そんな愚かな提案はやめろ」という声の高まりを率先して醸成していくべきではなかろうか。

第2章

「憲法問題」はわれわれの日常生活のどこにでもある

――「基本的人権」と「国民主権」を忘れてはならない――

国民の自由と権利とは何か

大相撲の女人禁制は憲法違反ではないか

法律の適用に関する通則法（法例）3条は「公序良俗に反しない慣習は、法律に反しない限り法律と同一の効力を有する」と規定している。これは、「法律に反する慣習は無効だ」という意味である。

例えば、仇討（あだうち）ちや決闘は江戸時代までは日本の正しい伝統であったが、明治時代に国家の意思として法令の明文で禁止された。

そして、法律の上位法である憲法14条で「すべて国民は法の下に平等で性別により社会的関係において差別されない」と規定している。従って、大相撲の土俵の「女人禁制」の慣習は、一見して違憲・無効である。

それでもこの女人禁制の慣習が無効ではない……と主張する側は、例えば男女のトイレが別であるように、そこには合理性があることを立証する責任がある。

しかし、それにしては日本相撲協会は寡黙である。

単に「伝統であるから」では全く理由になっていない。つまり、問われているのは、その背後にあるべき正当性を示す理由である。

まず、女性を不浄視する「信仰」が宗教の世界で語られた場合に、それが男性自身の堕落性を告白したものであることはわからなくはない。しかし、それは相撲の土俵で語られる話ではなかろう。また、「女子がケガをしてはいけない」という言い訳は、女性のスポーツすべてに対する侮辱になってしまう。

だから、これだけ議論になりながら今日に至るも日本相撲協会が「女人禁制」の正当性を示し得ていない以上、同協会の「女性は土俵に上げてはならない」という慣習律は憲法違反だと断ぜざるを得ない。

特に、日本相撲協会が「公益財団法人」である点は重要である。それは、国から特に公益性を認定され、非課税などの優遇措置を受けている機関だということである。つまり、相撲協会は、私的なお友達クラブではなく、国家権力機関に準ずる法的存在なのである。

だから、憲法の明文に違反する慣習律である以上、ウヤムヤにして済ませられる問題ではない。同協会の理事（親方）と評議員（有識者）には何か語る義務があるはずだ。

■女性専用車両は「男性に対する逆差別」か？

朝の通勤列車に女性専用車両を設けることが男性に対する「逆差別」だと主張する人々がいる……という新聞記事を興味深く読んだ。

確かに、女性専用車両は、鉄道会社の施設管理権に基づき、男性に対して男性であることを理由に「それに乗るな」と命ずるもので、形式的には男性に対する性差別ではある。

しかし、経験上（統計上）、満員電車の中で多数の女性が痴漢被害に遭ってきたことは、公知の事実で、それは強制わいせつという犯罪で、それが女性専用車両で確実に防げる以上、そこには最大級の公益性がある。

だから、男性には乗る車両を選ぶ自由（人権？）があるとしても、それも公共の福祉（他者の人権との調整）のためには制約されると憲法12条、13条に明記されている以上、何の問題もないはずである。

男性の側には、その時間帯に限り、ホームの上を少し歩いて他の車両に乗ることが求められるだけで、それが「被害」と呼べるほどの負担でないことも明らかである。

それにしても、その車両を「選びたくても選べない」ことを「差別」だとして怒る男性の心情が問題であろう。それは、痴漢被害（人格権侵害）を受ける女性の気持ちに思いが至らない男性の感性の問題である。

人格を否定された弱者の心情を理解せず、そういう者を守るために一定の時間帯だけ男性たちにホームの上を少し歩いてほしい……と要求されることに本気で立腹する男性の心情が、同じ男性である私には理解できない。それは、性別を超えた、他者に対する優しさの欠如の問題なのではなかろうか？

それはそれとして、いまの世の中には、尊敬できない女性の上役の下で働いた不快な経験を持つ男性も少なくないはずである。しかし、それ以上に、尊敬できない男性の上役のほうがはるかに多いという事実に私たちは気づくべきであろう。

それが、何千年も続いた男性中心社会の実態である。そこでは、「男である自分が女の上役に苦労させられる」ことに対する男性の怒りは正当化されやすい。しかし、それこそが女性蔑視の根であり、そういう心情の克服にはこの先、何世代もの時間がかかるとお互いに覚悟すべきであろう。

■「セクハラ罪はない」という大きな勘違い

福田淳一元財務次官のセクハラ騒動に関して、「セクハラ罪はない」（つまり「セクハラは『犯罪』ではない」）、さらに「福田（氏）にも人権（つまり、名誉等の不可侵の人格）がある」と麻生副総理が言い放った。

これは大方の顰蹙を買ったが、それでもその麻生発言を支持する高齢男性も多い。

しかし、それは大きな勘違いである。

「セクハラ（性的嫌がらせ）」とは、法律用語のようであって法律用語ではない。

新潮社が公表した福田氏の声の「胸に触る」「手を縛る」という行為を無理やり実行していたら、それは強制わいせつ、暴行（傷害）、つまり犯罪になる。しかし、今回は言葉だけで行為に至ってはいない。

とはいえ、仕事上の優越的関係を利用して夜中に飲食店に呼び出して男性が女性にあのような言葉を浴びせる行為が、その「被害者」女性に恐怖感や屈辱感を与えたことは否定し難く、それが彼女の名誉等の人格（これは「人権」である）を侵害したことは明らかである。

民法７０９条（不法行為）は、「故意または過失により他人の権利を侵害した者は、その損害を賠償する責任を負う」と規定している。そして、公表された事実を基に財務省はセクハラを認定し、懲戒処分を下し、福田氏本人も事実は争っていない。だから、今回は、その被害女性が民事訴訟を提起すれば福田氏は当然に負ける事実関係にあった。

つまり、福田次官（当時）の行為が「犯罪ではなかった」（正確には「犯罪には至らなかった」）点だけを殊更に強調して、さらに彼の「人権」まで持ち出す擁護発言は正しくも公平でもない。あの事例は、本来、「かろうじて犯罪にはならなかったが、被害女性の人格（人権）を侵害した『不法行為』であることは明らかだ」と評すべきものである。

福田氏は週刊新潮を名誉毀損で訴える意向だとも報道された。しかし、あの記事が「公的関心事」つまり権力者の非行に関することで、新潮社による録音の公開により「真実の証明」もなされており、福田氏に勝ち目はない。だから、そのような人物をかばい続けた麻生副総理は勘違い男なのである。

■教員の「良心の自由」を萎縮させる最高裁判決

アメリカで、トランプ大統領（当時）が黒人差別を擁護するような発言をした直後に、あるプロスポーツの開会式場で国歌斉唱の際に、黒人選手が姿勢を正さず、片膝をつき、黒い拳を突き上げた姿が日本でも放映された。それが「自由な社会」というものである。

わが国は第2次世界大戦の加害国だという歴史的背景があるために、今でも「日の丸」と「君が代」については論争が絶えない。日の丸は、アジア諸国を侵略した帝国陸海軍の先頭にはためいていたために、軍国主義の象徴として忌避する者は今でも多い。また、かつて大日本帝国憲法の下で天皇制を称える歌として用いられた君が代は、国民主権国家に生まれ変わった現行憲法の下では違憲だと主張する者も多い。

だから、日の丸と君が代を用いる儀式に素直に参加することができない者も多い。これは、憲法が保障している「良心」の自由（19条）の問題である。

良心の自由に従って卒業式で日の丸・君が代に「欠礼」した公立校の教員が、懲戒処分を受けた。そして最高裁は、「式の秩序を乱した」ということで戒告（単に「叱りおく」こと）はいいとしても、減給、停職は過重である……と、判断した。

最近、最高裁は、式の秩序を乱したことに加えて、「生徒への影響も否定し難い」点を重視し、定年後の再雇用拒否も合法だとした。これでは二重のペナルティーであろう。

前述の歴史を考えた場合、教員が良心の自由に従って日の丸・君が代に欠礼した行為は、次代を担う生徒たちが歴史と「人権」と公益の関係を考える最高の教材であったはずだ。

それが当局に全員を再雇用する義務がなかった時期の処分であったとしても、この判決が全国の教育現場を萎縮させてしまう効果に思いが至らない最高裁には失望させられた。

40年以上も前にアメリカに留学した時に、憲法教授が、高名な元最高裁判事の言葉を引用して、「最高裁判事は、単に法律家であるだけでは足りず、政治的な雅量も必要である」と語っていたことが、今回、頭の中に蘇(よみがえ)ってきた。その教員は君が代に欠礼しただけで退職後5年間の再就職を失ったのである。これは過重ではないか。

記者は紛れもなく主権者国民の代表だ

東京新聞が「記者は国民を代表して質問に臨んでいる」と記したら、官邸が「国民の代表とは選挙で選ばれた国会議員で、東京新聞は民間企業で、会見に出る記者は社内の人事で決められている」「記者が国民の代表とする証拠を示せ」と返したとのことである。

まるで子供の喧嘩のようである。秀才揃いの官僚たちに囲まれた最高位の政治家がこんな明白な嘘を返して平然としているとは、この国の政治はいよいよ末期症状である。

選挙で選ばれた政治家が形式的に国民の「代表」であることは間違いない。しかし、歴史の教訓が示しているように、権力者もその本質はただの人間であり、絶対的権力は絶対に堕落するという経験則から、人類は、政治権力を牽制する仕組みをさまざまに工夫しながら、今日まで進歩してきた。

立憲主義、三権分立、議院内閣制、法治主義、権力の乱用に対する盾としての人権と司法の独立、法の支配、地方分権などである。

それでも、最高の権力を握る人間どもは巧みに法の網をくぐり抜けながら私利私欲を追求し悪事を繰り返すものである。モリ・カケ・桜・東北新社問題は未解明・未解決であるが、これなど権力の堕落の典型であろう。

国会議員は、形式上、国民の代表であるが、例えば菅義偉（すがよしひで）首相は1億人もいる日本人の中の12万人余りから明示的に支持されただけの存在である。

1776年にアメリカが独立して世界初の民主国家が誕生して以来、人類は、政治家の堕落を直視しながら政治の質を高める努力を続けてきた。

そして、その中で重要な役割を果たしてきたのが主権者国民の知る権利を「代表」する報道の自由である。つまり、国民が皆それぞれに自分の生活に忙殺されている日常の中で、職業としての権力監視機関として、報道が発達し、憲法の重要な柱のひとつとして確立され、世界に伝播（でんぱ）していったのである。

だから、報道機関は紛れもなく憲法上、「国民の代表」であり、また、権力を監視する以上、権力の紐（ひも）が付かない民間機関なのである。これは、わが国を含む自由で民主的な社会における世界の憲法常識である。

■憲法が要求している2人の障害者議員の公費支援

憲法は、13条で「すべて国民は個人として尊重される」と規定し、14条で「すべて国民は、法の下に平等で、差別されない」と規定し、さらに25条で「国は、すべての生活部面について、社会福祉の向上に努めなければならない」と規定している。

だから、何らかの不運で障害を負ってしまった者も、この国では健常者と同様に自己実現しながら幸福を追求できるように、本人の足りない部分を国が支援し補ってくれることを要求する「権利」（つまり法的な力）を有している。

重度の障害を負った者2人が参議院議員に当選した。

上述の憲法の規定に照らして、この2人については、他の健常者の議員たちと同等に議員活動ができるよう、それぞれの不幸にして足りない部分を国が補うことは、国としての義務であろう。

だから、議員としての活動の際に、①車椅子のまま乗降できる「福祉車両」を公用車として提供し、②重度訪問介護サービスを公費で提供し、③筋萎縮性側索硬化症のため声を発することができない人の場合には、視線で選んだ文字を介護者が読み取る方法で、当然に時間のかかる質疑方法を保障する……ことは、憲法上の国に対する当然の要請である。

にもかかわらず、議員としての活動は「職場」（つまり生活費を稼ぐための仕事場）での活動だから、そこでの介護の費用は稼ぐ本人が負担すべきだ……という論理が邪魔をしているとのことである。

しかし、それは、議席を家産として「世襲」している与党議員や、専業野党として高収入の「議席に就職」している者が陥りやすい発想である。

ふざけないでほしい。議員としての活動は、「生活費を稼ぐ個人的な経済活動」などではない。それは、全国民の幸福を増進するために国家権力が公正に行使されることを監視する「全国民の代表」（憲法43条）としての「公務」である。だから、歳費の本質は、本来の「稼ぐ」時間を失ったことの「損失補償」であり「稼ぎ」ではない。

2議員を存分に働かせてあげてほしい。

『週刊ポスト』の「断韓特集」は議論の叩き台だったはずだ

週刊ポストの2019年9月13日号が、「韓国なんて要らない」という特集を組ん

している だけ である。

だ。「断韓」の勧めである。見出しは品がないが、読んでみると、冷静に事実を紹介しているだけである。

①GSOMIA（軍事情報包括保護協定）を韓国が破棄した場合、日米の情報によるバックアップがなくなり、北朝鮮が南進したらソウルは火の海になるだけだ。②日本が、戦略的物資三品目の輸出審査を個別審査に戻し、韓国を（輸出先として信頼できる）ホワイト国から外したことに対抗して、韓国も日本をホワイト国から外しても、貿易依存度に照らして、韓国は、半導体、車などの製造に大きなダメージを受ける。③韓国が東京オリンピックをボイコットしても、結果的に、日本人のメダルが増えてしまうだけだろう。④韓国から日本に来る観光客が減っているが、中国人の激増と1人当たりの消費額に照らして、日本全体として大きなダメージはない。⑤輸出に依存している韓国のエンターテインメント業界は、日本市場がないと食べていけないはずである。⑥韓国の神経精神科医学会が発表したリポートによれば、韓国人の半分以上がキレやすい精神状態にあり、改めて付き合い方を考える必要がある。

この発表直後にネット上で反発が広がった結果、小学館は発売当日中に「謝罪」してしまった。まるで、もともと、見識も覚悟もなかったかのようである。また、内田樹教授らの執筆陣も、「今後は小学館の仕事はしない」と表明した。同教授は朝日新聞の取材に対して「日韓関係が深刻な局面で、国論の分断に加担しているので同社とは関係を持ちたくない」と述べたそうである。

しかし、表現の自由に期待されている討論機能は、賛否両論が公論で交わることで国民全体の理解が向上することである。だから、この特集に反対する者は、単にこの特集を「拒否」するのではなく、この特集を覆す事実を列挙すべきなのである。

センセーショナルな見出しによって議論の機会をつぶしてしまったポスト編集部は、「謝罪」ではなく、次号で反対論者の主張の根拠を列挙する特集を組んだほうがよかった。また、この特集を批判する者は、単に「忌避」するのではなく、「反証」を提示する義務があるはずだ。

「大臣の育休」は制度の趣旨にかなっていない

小泉進次郎（こいずみしんじろう）環境大臣が「育休」を実行して話題になった。私は、それは行政機関の長として甚だしい「勘違い」だと思う。

まず、「育休」という制度は、「従業員」の子の養育を容易にし、その「労働者」の雇用の継続・再就職を促進するための制度である（育児・介護休業法1条、3条）。

しかし、大臣という地位は、法律で言うところの「事業主、国……」そのものであり、「使用者」であり、「従業員」ではない。

また、省の大臣の職務は、特定の行政事務をひとりで全権限と全責任を担う「独任」の身分（内閣法3条1項、国家行政組織法5条1項）で、代わりの利かない立場である。つまり、日常的に仕事を分担し合う同格の同僚はいないのである。

だから、事柄の性質上、小泉大臣が一定期間の育休を取りたいのなら、それは大臣を辞めるしかない。でないと、その間、環境大臣が事実上、空席になってしまう。

しかも、あの小泉家の一員として、小泉氏は育休を取らなければ子育てができず職業の継続ができない立場でもない。夫妻ともに高額所得者で資産があることも明らかである以上、普通に人を雇って育児を手伝わせ、大臣自身は、世の中の多忙な父親のひとりとして、原則として夜は帰宅するのだから、その限りで育児に協力すれば済むだけのことである。

小泉大臣自身の場合のように、親が超多忙な家庭でも、人はそのように一人前に育ってきたし、これからも育っていくものである。

今回は政治的「パフォーマンス」のように小泉「大臣の育休」が話題になっているが、ご本人もそれを話題にする人々も、前述のように何か勘違いをしているのではないか。しかも、小泉氏のように特殊な立場の人が育休を取ったからといって、現実に育休と失業のはざまで真剣に悩んでいる「労働者」が今後、育休を取りやすくなるはずのものでもない。

いま、小泉氏に求められることは、人類の命運がかかっている環境問題について、国務大臣として閣議に提案できるような斬新で説得力のある新政策を真剣に考える時間を持つことであろう。

憲法は「正当な補償」を義務付けている

今回の新型コロナウイルス禍は、中国発の歴史的天災であるが、わが国に限って言えば、初動対応を誤った政府が招いた人災の側面も大きい。

その結果、いま、全国民は、首相が公示した緊急事態宣言の下で知事が発した要請・指示（事実上の強制）・命令によりさまざまな不自由を強いられている。

公的権力による営業自粛要請の下で閉店を余儀なくされた経営者は、憲法で保障された職業遂行の自由（22条）と財産活用の自由（29条）を制約されている。その結果、その店の従業員も職業遂行の自由と勤労の権利を奪われ、両者は収入の道を断たれてしまった。
もちろん、憲法12条・13条に明記されているように、この憲法で保障された「人権」といえども「公共の福祉」のために制約されることはあり得る。その点で、今回の未曾有のパンデミックを克服して公衆衛生と自由な社会生活を回復することは最大級の公益で、それが「公共の福祉」の最たるものであることは多言を要しないであろう。

ところが、このような公的規制に伴って人々が生活に困窮し始めていることが明らかであるにもかかわらず、立法府と行政府で、この国民の損失に対する支援が真剣に議論されている様子が私たちには伝わってこない。マスクの各戸2枚配布、一律わずか10万円の支給などと、国民の命と生活を守る責任が国家にはあるという当局者の自覚が全く感じられない。

そこで、いま、見落としてはならない憲法条文がある。29条3項は、「私有財産は、正当な補償の下に、これを公共のために用いることができる」と明記している。だから、公益に基づく規制により経済的損失を被った者は、その損失額を国家に補償してもらう「権利」があり、国家にはそれを補償する「義務」があるはずだ。

もちろん、現実には財源の問題もあるだろう。しかし、その限られた財源を前提に

「和牛券」「旅行券」などと業界利権を争い合っていた感覚がおかしい。政府にもおおいに責任のある今回のコロナ禍で急激に困窮し始めている国民に、政府はその損失を正当に補償する義務がある。

■政治家も宗教家も「政教分離」の意味がわかっていない

自民党の総務会で、新型コロナウイルスに起因する経済の後退に対する中小企業支援策の一環として宗教法人にも家賃の補助を行うか否か？　について議論が行われて、まとまらなかった……との報道に接して、驚かされた。

憲法20条と89条が明記する政教分離の原則は、要するに、公権力と宗教はお互いに支援も干渉もしない……という原則である。それは、中世のフランスで政治権力そのものになってしまったカトリックが堕落して人々を不幸にした体験と、その後のイギリス国教会が清教徒を不当に弾圧した体験を経て、アメリカ憲政史の中で確立され、日本国憲法にも導入された憲法原則である。

つまり、政治家はその施政の良し悪しで国民の信を問うべきで、宗教家はその言葉と行いの良し悪しで民衆の心を開くべきで、政治と宗教はそれぞれに自分の活動に他方の力を借りてはならない……という原則である。

だから、宗教団体は公権力を占有または代行してはならず、同時に、公権力は宗教団体に物心いずれの面でも支援を与えてはならず、逆に弾圧してもならない。もとより「自由」とは何ものにも頼らないことであったはずだ。

だから、まともな宗教者なら、今回のコロナ禍で経済的に苦しくなったなら、それは「己の不徳の致すところ」と反省するか、「天が与えてくれた試練」として甘受すべきであろう。にもかかわらず、もしも「家賃に公的補助がほしい」と考えたとしたら、その者はそれこそ「商売宗教屋」で宗教家ではない。それは恥ずべきことである。

公権力が宗教に資金援助をしてはならないのは、それを通して政治が宗教を支配した史実が枚挙にいとまがなく、それにより政治家と宗教家が共に堕落してしまったからである。この同じ理由から宗教は非課税でもある。つまり、課税権の裁量により公権力が宗教の自由を害することが忌避されたのである。

改憲を党是とする自民党と宗教団体が設立した公明党が憲法の大原則のひとつである政教分離の意味を知らないようで、心配である。

■公人としての靖国参拝と「政教分離」

2020年8月15日、また、公人の靖国参拝が問題にされた。批判は主に、A級戦犯が合祀(ごうし)されている靖国神社を公人が参拝したのでは、わが国が大東亜戦争について反省していないことになり、近隣諸国の反発を招く……であった。

それに対して、公人側は次のように反発した。①国の礎になった先人を追悼し、平和を祈念することは正しいことだ、②戦死者は「靖国で会おう」と言って死んでいった。だから靖国でなければならない、③合祀は宗教法人がしたことで、他者は介入できない、④それに、「A級戦犯」という分類は戦勝国が一方的に事後法で裁いた結果で、わが国は独立回復後にその者たちの名誉を回復している、⑤先人を追悼する方法の選択は各人の自由である。

私は、以上の議論は立派に嚙み合っており、公人側の言い分にも理があると思う。

しかし同時に、それよりも「政教分離原則」違反のほうが深刻な問題だと思う。

かつてわが国は、国家神道を「国民道徳」と称して事実上の国教にすることで、専制国家化して勝算のない戦争に突入して惨敗した。その反省から、現行憲法(20条、

89条）に政教分離の原則が導入された。

それは要するに、政治権力と特定宗派は距離を置くということで、それにより、国民の信教の自由、思想・良心の自由、表現の自由が守られ、結果として民主政治が生きる……という憲法原則である。

私は、戦死した先人を追悼することも平和を祈念することも正しいことだと思う。しかし、当然のことながら、「公人の行いは憲法に違反してはならない」。それは、立憲主義国家では当然の大前提である。

だから、靖国神社という一宗教法人を「公人として」参拝することは憲法に違反してしまう。もちろん、同じ憲法（20条）により誰にでも信教の自由が保障されている。だから彼らも、8月15日に「私人として」、つまり公用車を使わず公設秘書を伴わず靖国を参拝し、ポケットマネーから玉串料を奉納し、公的肩書を付けずに記帳すれば問題はない。

それであれば、日本の歴史を熟知しているはずの先人たちの御霊（みたま）も、理解した上で心から喜んでくれるはずである。

■ありえない五輪開会式時間短縮の「違約金」

報道によれば、東京五輪・パラリンピック組織委員会の森喜朗会長（当時）が、2020年7月6日、コロナ禍の影響で2021年に延期された大会で目指す「簡素化」について、「開会式の時間短縮は『放映権契約』の観点から難しい。IOCとテレビ局間の契約があり、IOCは『絶対に駄目だ』と言っている。時間が減ると違約金を取られるので、お金がかかってしまう」と語ったとのことである。

しかし、契約に関わる法律論で言うならば、今回の事例は、歴史的な自然災害（つまり天変地異の類い）で、もとより予測不可能であった最大級の「事情変更」として、契約内容の変更を要求できる場合であるはずだ。

古来、「法は常識の最低限である」と言われているが、常識的に考えて、「絶対に駄目だ」などと言う前に減額交渉をすることがまず先であろう。

コロナ禍の拡大防止は、誰もが否定できない世界共通の大義である。それには全人類の命運がかかっており、現に世界中で危険を分かち合っている時に、一テレビネットワークの「得べかりし利益」（取りそびれる利益）の保障だけは不変だと考える

「石頭」は、老練な政治家の発想ではない。

普通に合理的に考えてみれば、現状でも、2021年夏に五輪を開催するとして、必要な選手選考、事前合宿等の準備期間を考えれば、それまでに全世界でコロナ禍が収束するとは到底考えられない以上、実質的にはもはや五輪の「中止」も見えている。だからこれは不可抗力である。

従って責任はないとしても、政治的配慮からわが国も「損害金」の一部を分担することにしたとしても、いまではすでにバレてしまった電通、パソナ等の「中抜き」利権を整理すれば財源は捻出できるはずである。

思えば、竹田恒和(たけだつねかず)JOC(日本オリンピック委員会)前会長が記者会見で「私は決裁したが、その内容は知らなかったから責任はない」などと筋の通らない発言をしてフランス検察当局から追われている2億円余の誘致「賄賂」疑惑の件、常に日本(というよりも開催国)に過剰な財政負担をかけるように見えるIOC(国際オリンピック委員会)等、もはや「物欲」五輪のようなやり方自体が見直されるべき時であろう。

これもコロナ禍の教訓のひとつである。

■「自由」と「民主主義」をわきまえない自民党「日の丸損壊罪」という勘違い

前もって断っておくが私は、「日の丸」の旗が好きである。白地に赤で太陽を表したデザインが日本らしくてよいと思う。

しかし「日の丸損壊罪」の新設には反対である。

最近、自民党の「保守団結の会」が「(日本国)国旗損壊罪」の新設(刑法改正)を政調会長に申し入れたとのことである。いわく、「『外国国旗損壊罪』(刑法92条)があるのに、わが国の国旗を損壊して罪にならないのはおかしい」。実に単純明快である。しかし、それは前提に誤解がある。

外国の国旗を損壊した場合には、相手は他の独立主権国家であり、日本国内で完結的に解決できない利害が関わっており、時に戦争を誘発しかねないという経験則がある。だから、外国国旗損壊罪は必要である。

他方、日の丸の取り扱いは、自己所有の旗である限り、それは、日本国の在り方(つまり政治の現状)に対する、主権者としての意見(賛成or反対)を(振るor踏みつけるで）端的に示せる、誰にでもできる簡単で自然な表現手段である。

だから、公権力が国民各人の「日の丸」に対する態度を規制しようとすることは、憲法が保障する表現の自由（21条）とその前提にある思想・良心の自由（19条）に対する侵害だと言われるのである。

日の丸の損壊を刑罰で禁じると、それは、与党支持者の表現を自粛させることはないが、野党支持者の表現だけを萎縮させる効果がある。これこそ、「異論の存在は許さない」最近の自民党の独善的で専制的な姿勢そのものを具体化した政策である。

私たちが「正しい」と信じている「自由」で「民主」的な社会は、人間が先天的に個性的で多様な存在である以上、「異論の共存」を楽しみながら討論を経て進歩していくことを前提条件としている。

だから、「自由民主」党が日の丸の損壊を刑罰で禁じる法案を提出することは、同党の自己矛盾以外の何ものでもない。

最近の自民党は、余裕をなくしたのか？　それとも長期政権で傲慢になったのか？　はたまた知性をなくしてしまったのか？　何かがおかしい。

特権化、貴族化、庶民感覚欠如！議員の世襲制限は当然だ

国会議員の職務の本質は、本来的に利害の対立と矛盾が存在する全国民の間に、国家権力を用いて国家の有限な資源を強制的に配分する作業に参加することである。だから、議員を選出するシステムは全ての国民にとって「公平」であることが求められている（憲法14条、44条）。

そういう観点から、特に自民党内に多数存在するいわゆる「世襲」議員が法の下の平等に反するのではないか？　と問題にされてきた。それに対して、世襲議員にも参政権はある（憲法15条）し、現に選挙で当選し民主的正当性があるとして、「逆差別」だと反発する向きもある。

しかし、世襲議員が不当な存在であることは明白である。

まず、選挙とは、事実として、莫大（ばくだい）な費用と人力が必要な事業である。だから、志と能力はあっても無名の新人が立候補（人権行使）をしようと考えても、落選した場合の経済的・社会的損失を考えたら、容易に立候補できるものではない。その点、世

襲議員は、いわゆる「地盤」（集票組織）、「看板」（知名度）、「鞄」（選挙資金）が先祖伝来で揃っており、ほぼ確実に当選できる上に、落選しても生活は守られている。だから、世襲議員は、大きな権力を共有する地位を容易に入手・維持できる特権的な立場にある。つまり、憲法が禁じる「門地」（家柄）による差別（14条、44条）である。

さらに、世襲議員にはもうひとつ本質的な問題がある。それは、世襲議員の「貴族」化である。中世、近代の階級社会の悲惨な体験を経て、人類は、階級のない社会に到達して現在に至っている。人間の平等と民主政治である。そこにおいて、議会は当然に多様な国民各層の公平な縮図でなければならない。ところが、世襲議員は代々の特権階級の中で育った人間になってしまっている。

多くの世襲議員と近くで接して痛感することは、彼らは庶民の感覚がわからない……という致命的な事実である。国民の最大多数の最大幸福を追求すべき議会の構成員の多数が庶民感覚を欠いていては、議会が正しく機能するはずがない。

▩専制と覇権主義は歴史に対する冒涜　民主主義諸国は連帯して中国をいさめるべきだ

　海外の調査報道によれば中国が新疆ウイグル自治区の住民に対して「民族浄化」を行っている。要するに、ウイグル族は間違った思想に染まっているとして、強制収容所に入れて思想改造教育を行っている……とのことである。加えて、ウイグル語の使用やウイグル族の歴史書の出版も禁じられているとのことである。さらに、拷問・強姦や強制不妊手術といった報告まである。

　これはまさに、第２次大戦敗戦前にドイツのナチスがユダヤ人に対して行ったホロコーストに等しい。これは、明らかに人道に対する罪であり、文明に対する反逆とも言える。

　また、いま、香港で起きている事態は、第２次大戦敗戦前の大日本帝国が施行した治安維持法体制と同じである。市民が単に表現の自由を行使しただけで「国家に対する反逆」だとして刑事手続きを進めるなどということは、自由と民主主義が保障された国ではあり得ない。これは典型的な「専制」で、これも文明の進歩に対する冒涜である。

また、香港の現状は、1997年に中国に返還された際に、50年間は資本主義と高度の自治を保障するとした国際公約に違反する。

さらに、南シナ海の公海上に人工島を造り軍事基地にして、それが領土でその周りが領海だと主張する行為は、まるで国際法を公然と無視した「海賊」のごとき所業である。歴史的にも国際法上も日本の領土以外の何ものでもない尖閣諸島を自国の領土だと主張して公船を派遣して日本の漁船を脅かす所業も国連安保理常任理事国、つまり世界に責任のある5大国の一員らしくないものである。

世界が中国の専制と覇権主義を黙認した場合には、世界がかつて「大航海時代」と称した15~17世紀の弱肉強食の植民地獲得競争時代に逆戻りしてしまうことになる。

さまざまな失敗を経てここまで成長してきた現代の国際社会として、自由と民主主義を信ずる先進諸国はいま、連帯して中国の行いをいさめ、牽制し続ける責任があるはずだ。

これは、かの国に対する「内政干渉」などではない。これは「人類」と「世界」が中国による勘違いな挑戦に応えることで、中国に「文明」の共有を求めることにすぎない。

沖縄住民投票には憲法上の拘束力がある

在日米軍普天間飛行場の辺野古移設の是非を問う沖縄県民投票の結果は、「反対」が実に72％を超えた。

それでも、安倍政権はそれを無視して移設工事を続行する構えを崩さなかった。菅政権も同じである。その背景に「県民投票には法的拘束力がない」という認識と「安全保障は国の専権事項だ」という認識があることは確かである。

しかし、県民投票には、わが国の最高法である憲法上の拘束力があることを忘れてはいないだろうか。

憲法95条は「ひとつの地方自治体のみに適用される国の法律は、その自治体の住民投票で過半数の同意を得なければならない」（つまり、自治体住民には拒否権がある）と定めている。つまり、それが国策として必要だと国会が判断しても、その負担を一方的に負わされる特定の自治体の住民には拒否権があるという、極めて自然で当然な原則である。

もちろん、辺野古への米軍基地の移設は形式上は「法律」ではない。それは、条約上の義務を履行しようとする内閣による「行政処分」である。しかし、それは形式論で、要するに、「国の都合で過剰な負担をひとつの地方自治体に押し付けてはならない」という規範が憲法95条の法意であり、それは、人間として自然で当然な普遍的条理に基づいている。

アメリカ独立宣言を引用するまでもなく、国家も地方自治体も、そこに生活する個々の人間の幸福追求を支援するためのサービス機関にすぎない。そして、国家として一律に保障すべき行政事務と地域の特性に合わせたきめ細かな行政事務をそれぞれに提供するために、両者は役割を分担しているのである。

そこで、改めて今回の問題を分析してみると次のようになろう。まず、わが国の安全保障を確実にするために日米安保条約が不可欠だという前提は争わないでおこう。しかし、だからといって、そのための負担を下から4番目に小さな県に7割以上も押し付けていてよいはずはない。そこに沖縄県民が反発して当然である。だから、政府としては、憲法の趣旨に従って、「少なくとも県外への移設」を追求すべき憲法上の義務があるはずだ。

まったく理解されていない「文民統制」の原理

自衛隊の海外派兵の違憲性について論陣を張ってきた一国会議員に路上で「バカなのか!?」と罵声を浴びせた幹部自衛官に処分が下った。それは、今後の人事に影響する懲戒処分（免職、停職、減給、戒告）ではなく訓戒（記録に残さない口頭注意の類い）だそうである。

しかし、これでは、防衛省は「文民統制（シビリアン・コントロール）」の意味がまったくわかっていない……と断ぜざるを得ない。

自衛隊は物理的には紛れもなく「軍隊」である。そして、軍隊とは、国内で唯一、国家を制圧する武力を有する組織である。

古今東西、軍隊が自分たちの組織的な判断と名誉を自己目的化して国政を壟断し、国の針路を誤導して国民大衆を不幸にした事例は枚挙にいとまがない。第2次世界大戦時のわが国もその典型例である。

そこで、日本国憲法66条2項は「国務大臣は文民でなければならない」と定め、軍人が政権に入ることを禁じている。軍人は、何よりも軍部の意向をすべてに優先する人格に育てられるもので、それでこそ強い軍隊になるからである。

今回の路上「罵倒」事件は、当人が「自衛官である」と名乗ってから議員に言いがかりをつけた点こそが重要な事実である。つまり、その意味は、防衛省が認定した「勤務後」の私的な場面における紛争ではない。それは、かつて、制服に軍刀を帯びた帝国軍人が「黙れ！」と議員を一喝した事件と同じで、文民政治家に対する軍人としての威圧そのもので、文民統制違反の典型例であろう。

文民統制とは、不可逆的な破壊力を行使できる唯一の組織である軍隊が主権者国民の意思を無視して行動することがないように、軍隊の行動を、主権者国民の直接代表で構成する国権の最高機関である国会の統制下に置く……という統治原理である。

それは、法律・予算、国会の審議と首相・防衛相による統制に服させる……という制度条件に加えて、それを徹底する……という首相・防衛相の意思と、それらに服従する……という軍人側の意思で成り立つものである。

今回の処分は、それらのうちの2つの意思の欠如を示す以外の何ものでもない。

「人権」を理解できない政治家たち

■「LGBT支援は必要ない」という暴論

自民党の若手議員が、地方自治体はLGBT（性的少数者）を支援する必要はない……と発言した。

その言わんとするところは、大要、次のようである。

①LGBTの人々は子供をつくらない。つまり「生産性」がないから、そこに税金を投入することには疑問である。

②LGBTという分類は、「区別」（単なる違いの認識）であり、「差別」（「見下す」ことでいじめの類い）ではない。

③公的支援は、それなしでは普通の生活ができない人（病人、障害者ら）に必要で、LGBTには必要ない。

④自治体には対応すべき課題が山積しており、その中でLGBTは重要な課題ではない。

しかし、これらの認識は、全て間違っている。

①子供をつくるかつくらないかの選択は、全ての成人に等しく保障されている自己決定権（人権）で、それ故にＬＧＢＴが公的支援を受けられなければ、それこそ「差別」で人権侵害である。それに、ＬＧＢＴでない人でも子供をつくらない者が増えているし、逆に、ＬＧＢＴで養子をとる者も増えている。

②ＬＧＢＴの人々が社会的に「差別」を受けてきたことは歴然たる事実で、それを無視する者の知性と良心を私は疑う。

③公的支援はそれなしでは普通の生活ができない人を優先すべきは当然であるが、これまで白眼視により普通の生活を邪魔されてきたＬＧＢＴの人々にこそ、その資格があるはずだ。

④だから、全ての個人にそれぞれの個性が尊重された「人間らしい生活」を保障すべき行政の最前線にある地方自治体がＬＧＢＴを支援しないで、いったいどこが支援するのだろうか。

前述の議員のような見解は、最近、威勢よくネットの世界で広がっているように見える。

それらに共通する特色は、「人権」論の本質がわかっていない点である。つまり、人間は皆、先天的に「それぞれ」に個性的な存在であるが、それをお互いに許容し合う温かい心こそが人権論の土台である。

だから、自分とは異質な者を内心では見下しておきながら、それを単なる「区別」だと言い張り、その上で「優先順位が低い」という見下し発言をして恥じない者が権力側にいては、いけないのである。

杉田水脈（すぎたみお）議員擁護論は「論」として成立していない

LGBTに関する発言で「袋叩き」に遭った杉田議員を擁護する特集が載ったというので、『新潮45』を買って読み、驚かされた。

藤岡信勝（ふじおかのぶかつ）拓殖大学教授とは20年以上前に公開のシンポジウムで同席して、その概念と論理を大切にする公正な立論に感銘を受けた記憶がある。

同教授は、まず、杉田論文を要約した。

（1）日本社会はLGBTの人たちを迫害した歴史はなく、いまもそれほど差別されているると言えるだろうか。

（2）当事者によれば、親が理解してくれないことのほうがつらい。このような「生きづらさ」は制度を変えることで解消されるものではない。
（３）少子化対策のお金をＬＧＢＴのために使うことに賛同が得られるものか。彼らは子供を作らない、つまり「生産性」がない。
（４）ＬＧＢＴとひとくくりにすることがおかしい。Ｔ（トランスジェンダー）は「障害」なので医療行為を充実させるかは政治として考えていい。
（５）多様性、さまざまな性的指向も認めよとなると、同性婚にとどまらず、兄弟婚、親子婚、ペットとの結婚、機械との結婚という声も出てくるかもしれない。「常識」を見失っていく社会は「秩序」がなくなり、いずれ崩壊していくことにもなりかねない。

これに対して、同教授は、「まったく何の違和感も持たなかった。論理の構造は明快で、論として十分成立している」と評価している。

しかし、私の感想は次のものである。
①いまでも日本社会でＬＧＢＴが白眼視されていることは公知の事実である。
②ＬＧＢＴの「生きづらさ」は、公的に、それもひとつの先天的な個性であると認め知らしめ、同性婚等の制度を整えることで着実に解消に向かうはずである。
③ＬＧＢＴ（性的指向の多様性）を認めるための予算を「少子化対策」から考える

こと自体がそもそも間違っている。
④LGBTは先天的なDNAの問題であり、治療の対象になる「障害」ではない。
⑤(5)は、先天的な性的指向と非常識を混同した勘違いではないか。

杉田議員が「自ら招いた危険」

統一地方選の最中に、杉並区議候補者の応援演説に訪れた杉田議員が「帰れ!」コールに囲まれて演説どころではなくなってしまったとのことである。候補者自身は、現場で、杉田議員を招いたことに後悔の弁を述べたとのことである。

ところが、翌日のSNSでは、思い直したように、「演説妨害は公選法で処罰対象」である、「言論封殺とは闘い続ける」などと発信したとのことである。他にも、「一人の女性に対して寄ってたかって罵詈雑言を吐いていいのか?」「人権と多様性と寛容性を求める人々とは真逆の人々」などの非難が発せられたとのことである。

確かに、当日の高円寺駅頭から話が始まったのならそうした批判にも一理ある。

しかし、話は、前年、杉田議員が『新潮45』誌上で公然とLGBTを「差別」(つまり、違いをとらえて卑しめること)をした時から始まっている。何度も読んでみたが、それは、要するに、ＬＧＢＴは子をつくらないので生産性が低く、公的支援なしでは生きづらい人々ではない……と断言している。これは、明白な無知に基づく差別発言で、訂正と謝罪を要するものだ。

この「公人」の発言に対して、当然に謝罪と公開論争（釈明の機会でもある）への参加が求められた。しかし同議員は、「誤解だ」「差別の意図はない」と明白な嘘を発信しながら、一切の論争から逃げまくってきた。これでは明らかに公人失格である。

そのような者が地方選の応援にのこのこと出て来たのだから、そこで罵倒されても当然である。このような状況を、法格言では、「自ら招いた危険からは保護せられず」と言う。さんざん他者に言いがかりをつけておいて怒った相手が胸ぐらをつかんだら「暴行罪だ！」と騒ぐ体で、笑止千万である。

まさに、自らの暴言に一切責任を取らずに逃げ回ってきた者に直接向けられた批判の言論を「違法」だと言う不可思議である。

他者の人権を否定して逃げ回って恥じない公人をようやく捕まえた現場で、怒った大衆が「あなたには語る資格がない」と叱ったことは、それこそ憲法21条が保障している表現の自由の行使以外の何ものでもない。

■「言い逃げ」杉田議員を放任する自民党の責任

２０２０年9月25日、自民党政調の内閣第1部会等合同会議で、女性への暴力や性犯罪に関して、杉田代議士が「女性はいくらでも嘘をつけますから」と発言したとのことである。相変わらず雑な発言である。

例の「ＬＧＢＴには生産性がない」という発言の時も、まず「生産性」の定義をせずに、ＬＧＢＴに限らず全ての個人ごとに「生産性」は異なるにもかかわらず、要するに「全てのＬＧＢＴは生産性がない」と決めつけてしまった。

これでは批判が噴出して当然である。この人は明らかに言葉と論理の基礎知識に欠けると言わざるを得ない。

ところが、会議後に記者団に問われて、杉田議員は「そんなこと、言っていない」と否定したとのことである。しかし、会議に参加した複数の関係者が同議員の問題発言を確認した。どうやら、この人は平然と嘘をついたことになる。

議員という公人が総合雑誌誌上や自民党の会議という公の場で発言した行為は、憲法21条が保障する表現の自由の行使である。だから、発言自体は後に逃げたり隠したりすべき事ではない。

日本国憲法が保障する「自由で民主的」な社会は討論を前提に成り立っている。人間が先天的に個性的な存在である以上、私たちは異論が共存する社会に住んでいる。だから、平和的に発展する社会を維持するために、私たちは討論を行い続けるのである。

つまり、公人として表現の自由を行使した杉田議員は、「自ら招いた」討論に応じる憲法上の義務がある。それは、権利を行使した者の当然の責任である（憲法12条）。にもかかわらず、あの「ＬＧＢＴ」の時も今回も討論から逃げようとする杉田議員は、そもそも公人として発言する資格がないことを2度も自認したことになる。これでは単なる「お騒がせ」にすぎない。

こんな彼女が傍若無人(ぼうじゃくぶじん)に振る舞えるのも、自民党が彼女を比例区上位で遇して当選させてかばってきたからで、同党の責任は重い。

今回も、総選挙が近いと感じて彼女は党内受けを狙って発言したのであろう。だから、結局、これは私たち有権者の質が問われていることなのだ。

天皇制と国民主権

天皇は「公人中の公人」である

天皇の肖像を燃やすパフォーマンスは、私には単に「くだらない」行為にしか見えない。だが、それを「けしからん」と怒る人がいることも理解できる。

しかし、不敬罪が廃止された現在のわが国で、自己が所有する天皇の肖像を公然と毀損した者に法的責任を追及することはできないだろう。

もちろん、名誉毀損として天皇ご本人または相続人が原告となって民事で損害賠償を訴求することも、検察官が公訴を提起することも、理論上は考えられる。しかし、それはそれで何か「らしくない」のも事実であるし、現に行われていない。

天皇は日本国の「象徴」である。その機能は日の丸と同じである。天皇には、権力は託されてはいないが、国内で最上位の権威性が与えられており、その地位は公人である。

国の象徴である以上、天皇は、「日本国」が話題になった時に日本国を代表する者として持ち出され、その肖像が壇上に飾られたり、逆に路上でデモ隊に踏みつけられたりもする。それが、不敬罪の存在しない国における象徴の普通の扱われ方である。

他国の例で言えば、最も有名な米国のトランプ大統領（当時）の肖像などは、ほとんど毎日、世界のどこかであがめられも燃やされも引き裂かれも踏みつけられもしていた。これは、国際ニュースを注意深く見ていれば気づくことである。

このような公人たちは、自らの意思で望んで、または、運命を受け入れてその地位にいる者であり、その点では私たちのような私人の名誉権や肖像権を超えた存在なのである。だから、上述の民事訴訟も刑事訴訟も実際には存在しない。

私は、昭和天皇の肖像を毀損して何かを表現する行為は悪趣味であると思う。同時に、その昭和天皇の肖像に過度に感情移入してそのパフォーマンスに怒るのは各自の勝手ではあるが、それを公的に罰しようとする考え方にも無理がある。

公人の肖像権は、本来的に、激動する歴史の中でさまざまに利用されることが当然に予定された公共財のようなものである。

代替わりで顕在化した天皇制と憲法上の諸問題

今回の天皇の代替わりは、天皇制にまつわるさまざまな憲法問題を顕在化させた。主な論点は次のものである。

①天皇が政治的権能を行使することの禁止（4条）
②政教分離原則（20条：国による宗教活動の禁止、89条：宗教に対する公金支出の禁止）
③国民主権（1条）

まず、天皇が自らの意思で皇太子に「譲位」することは「政治的権能を行使」することだ（?）という論難が出現した。それを回避するために、政府は、天皇がまず「退位」して、次に皇太子が「即位」することにした（?）とのことである。しかし、どちらにせよ、天皇の「意思」で天皇位が皇太子に移った事実に変わりはない。もとより政治的権能を有しない天皇の地位を家庭内の自然な序列に従って天皇から長子に譲ることのどこが「政治的」なのか？ もともと何の問題もない……と認識すれば済む話である。天皇の地位にある個人もまず「人間」である以上、高齢になっていつまでその地位にとどまるかを自ら選択する自由は、それこそ人権としてあるはずだ。
また、天皇制には、三種の神器、大嘗祭など、それなしでは天皇制が成り立たない伝統的な宗教（神道）儀式が存在する。それは、政教分離「原則」を定めた憲法自体が、その「明文例外」として歴史的存在としての天皇制の継続を認めている以上、許された例外として堂々と挙行してよい宗教行為である。米国議会付牧師が行う儀式が最高裁判例により憲法が許容する政教分離原則の歴史的例外だと認められていることと同様である。

さらに、即位後「朝見」の儀が、日本語として「臣下が天子に拝謁する」ことを意味するのは、さすがに、日本国憲法の三大基本原理のひとつ、国民主権に抵触してしまうだろう。だから、それは、新しい伝統として、即位後「国民代表会見」の儀とでも改めて実施すればよかったのである。

天皇制について「伝統」の尊重を主張する人々は、なぜか、２０００年以上の天皇制の歴史の中のわずか50年余にすぎない明治憲法体制を強調して「伝統」だと主張する。しかし、歴史的に伝統は変わってきたし、今後も変わっていくべきものである。

大嘗祭と憲法の政教分離原則

憲法の20条1項は「いかなる宗教団体も、国から特権を受けてはならない」と規定し、89条は「公金は宗教上の事業に支出してはならない」と明記している。これが「政教分離」の原則である。

これは英国による宗教弾圧から逃れた人々が建国した米国で確立された憲法原則で、日本国憲法にも導入された。その趣旨は、各人の信教の自由に国が介入しないように、国は宗教活動から距離を置け……ということで、公権力が宗教と関わる目的か効果が信教の自由に対する介入でなければ許容される……という原則である。

加えて、ひとつ例外がある。それは、憲法制定前からの公的慣習で憲法制定者が受容した宗教儀式は許される……というものである。米国議会付牧師の制度である。

日本国憲法は、法の下の平等（14条）を定めながら、歴史的な制度としての天皇制を継続していくことも認めた（第1章）。そのために、14条（階級制度の禁止）と明らかに矛盾する「皇族」という貴族以上の階級を認めている。これが違憲だと言われないのは、14条に対する明文による例外だからである。

そして、大嘗祭という紛れもない「宗教儀式」を抜きに継承が行われ得ない天皇制の存続を憲法自体が明文で認めている以上、天皇制に不可欠な憲法儀式を公的に行うことは、憲法自体が認めている例外なのである。

だから、大嘗祭は、憲法7条10号が規定する「儀式」として、堂々と、公費を用いて国の機関が行ってよいはずである。

ただし、このような憲法解釈上の重要事項（これは高度の政治問題である）について、皇族が公に議論を発することは、天皇制の本旨に反するだろう。

全国民統合の象徴であるべき天皇（憲法1条）は、その本質上、政治的には無色透明であるべきで、だからこそ4条で「国政に関する権能を有しない」と戒められている。そして、天皇が世襲である以上、そのために不可欠な存在である家族も同じ規範に縛られることになる。だから、皇族は、一般国民が登録される住民基本台帳とは別に皇統譜に登録されて参政権が与えられていない。皇族は皆、この意味を深く自覚すべきである。

■元号の使用強制はやめるべきだ

新元号「令和」が発表された時、私は、冬から春になり事態が好転する趣旨ととらえて、平成の閉塞感を破る新展開に期待した。

当時、官房長官は元号について、「国民は西暦と自由に使い分けてよい」が「公的機関は元号を使い続けるべきだ」と語った。しかしこれは矛盾している。つまり、元号を使う、使わないは各人の自由だ……と言っておきながら、役所では元号を使い続けろ……としたのでは、国民はあらゆる手続きで元号の使用を間接的に強制されることになる。

私は元号の強制には反対で、理由は次のとおりである。

まず、すでに国際社会の中で生活している私たちにとって、西暦と元号の換算は面倒で時々誤りが生じてしまうし、そして、何よりも時間の無駄である。

そして第二が、本質的な疑問である。元号は、中国の皇帝が「この世の支配者」として「時」にも自分で名を付けた先例に由来する。それに倣(なら)ってわが国でも天皇が時に命名した時代があった。しかし、歴史の流れの中で、諸国の王制は次々に廃止され、少数残っている王制もいわゆる「立憲君主制」である。そこでの国王は、かつての権力者から、単に形式的に国を代表する象徴に変化してきた。これは歴史的必然である。原始に近い時代では、武器の使用が許されていたために、一部の豪族が武力を用いて国の支配者になることは当然視されていた。しかし、現代では、教育も行き届き、国民全員で情報を共有し、皆の勤労の成果で国を支え、国民には平等な投票権と表現の自由が保障されている。だから、このような国民主権国家においては、「時の支配者」たる君主制に由来する元号制を維持し続ける理由はもはや存在しないのではあるまいか?

このような考え方は、理論的に突き詰めていくと、天皇制の否定にまでたどり着くものである。しかし、「法の下の平等」(貴族制度の禁止)が確立された現代国家において、王制存続の是非は主権者国民の責任として不断に検討されるべき課題であろう。

久しぶりに改元が行われたこの機会に天皇制の在り方について、改めて広く公論にかけてみたらよい。

■元号を忌避する人々に対する狭量な反論

山根二郎弁護士らが、元号を違憲とする訴訟を提起した。その主張は、大要、次のものである。

①元号は、人が生活の中で有する「連続している世界の時間」を切断し、その故に個人の尊厳（人格的自律）を一方的に侵害し、憲法13条に違反する。②明治以降、天皇絶対思想の下で今の一代一元の元号制が始まり、それが、天皇陛下のためだと言って戦争して敗北した結末に至り、それでもいまも変わっていないなら、それは近代（現代？）国家と言えるのか？

もちろん、このような主張に反対する者も多い。

例えば、（1）元号は日本の文化である。（2）元号が嫌な者には西暦を使う自由があるではないか。とはいえ、西暦はキリスト教暦であるが、元号を嫌う者は日本人なのか？

何か話が嚙み合っていない。

元号に反対する人々の思いの根底にあるものは、古代の中国の皇帝が「時の支配者」であるという思想に由来した元号制をいまでも踏襲していることに対する疑問である。

国民一般に情報が公開されていなかった文明の発達段階に武力で国家を統一した王家が「神の子孫」だと自称していた時代が終わって久しい。いまは、国民大衆が情報を共有し全国民の勤労の成果で国を支え、全国民の意思に基づいて国家機関が運営されている国民主権国家の時代である。そこにおいて、天皇（これは紛れもなく日本の王家の長）の代替わりで時を区分することの本質的矛盾が突かれているのである。「文化」と言っても、それは時の流れの中で変化してきたし、また、変化していくべきものではないか？　と問われているのである。

さらに、西暦がイエス・キリストが生誕したとされる年を起点としていることは公知の事実である。しかし、現実にそれを「意識して」年号を数えている者などほとんどいないはずである。政教分離原則を確立したアメリカでも、それは、宗教に由来したものでありながら、もはや誰もそれを意識してはいない「習俗」である……と遥か昔に最高裁判決で確認されている。つまり、それはもはや単なる世界共通暦なのである。

■「恩赦」は時代錯誤で矛盾に満ちている

天皇の代替わりを祝して恩赦が行われるという話がまた出てきた。

恩赦とは、内閣が決定して天皇の認証により犯罪者に対して刑の執行の免除および復権を行うことである。憲法73条7号、7条6号に根拠規定がある。それは要するに、ある行為類型を犯罪だと規定した立法権の決定（法律）と、ある具体的な行為を犯罪に該当すると認定した司法権の決定（判決）を、無効にする大権である。

これは古来、国王大権のひとつとして国家的な慶事や凶事に際して行使され、国王の権威を支える一助になっていた。

だから、国民主権国家になって久しい現代において恩赦を正当化しようとすると、大きな困難が伴う。

まず、司法の過失（行き過ぎ）を修正する機能がある……といわれる。しかし、厳格な訴訟手続きを尽くした結論を、単に政治的判断しかできない仕組みになっている内閣が「正す」ことなど、原理的に無理がある。司法も不完全な人間が担っている以上、間違いはあり得るし、現にあった。だから、厳格な手続きと三審制と再審があり、司法の過失は司法が正すべきが筋であろう。同じく、立法の過失も議論を経て立法（法改正）で正すべきものである。

また、憲法に根拠があるからといって、「天皇の代替わりの喜びを国民が共有する」と称して殺人犯や強姦犯を赦免（しゃめん）して、主権者国民大衆が納得するはずもない。それでは法治国家の崩壊である。

そこで、結局は先例に倣（なら）って、公職選挙法違反などの赦免が行われることになる。しかしこれも、一般国民の関心が薄い「形式犯」かもしれないが、民主国家の根幹に関わる選挙と日常の政治活動における不正を赦（ゆる）すことで、法の精神である「正義」に反することに変わりはない。

だから、これまでは歴史の流れの中であまり意識もされずに惰性のように残されてきた「恩赦」制度ではあるが、この機会に、改憲手続きは８００億円もかかるので回避するとして、恩赦法を廃止するか、少なくとも「今後はそれを執行しない」と閣議決定し、恩赦は「抜かない刀」にしたらよい。

■「恩赦」を「抜かない刀」にする意味とは？

前項では改元の政令恩赦について、私は、それが原理的にも機能的にも不都合であるから、「抜かない刀」にしたらよい――と主張した。

原理的に不都合だということは、「天皇の大御心（おおみこころ）により罪一統を赦す」という語源が国民主権の日本国憲法体制に矛盾する――という意味である。機能的に不都合だということは、有罪確定者の処遇は、本来的に、法務省が中央更生保護審査会の意見を聴して「個別に」対応すべきもので、それを、罪や罰の種類を政令で定めて「まとめて一律に」赦すという行為が正当ではない――ということである。

今回の私見には賛成の反応が大多数であったが、ひとつ見過ごせない反論（事実誤認）があった。それは、「恩赦は憲法に根拠があり、それがダメだというなら改憲しかない」という意見である。

まず、憲法の7条（天皇の国事行為）6号は「大赦、特赦、減刑、刑の執行の免除及び復権」と明記しており、そこには「恩赦」という文言はない。73条（内閣の職務権限）7号も同じである。つまり、「恩赦」は憲法に根拠のない法律上の用語にすぎないのである。

私が言いたいのは、「恩赦」という王制の遺物としか言いようのない表現は時代錯誤だから法律を改正しろ——ということである。また、行政の一貫としての中央更生保護審査会の活動は拡充して続けるべきだと思う。

そして、現憲法が残した天皇の地位が世襲である以上、代替わりは必ずある。しかし、それと犯罪者の「一律赦免」には何の因果関係もない。だから、そのような悪習は法治国家としてやめるべきだと思う。

そういう意味で、憲法上に文言のある大赦、減刑、復権も政府が政令で「一律に」有罪者を赦免することであり、不都合だから運用上、行わないことはできるはずだ。この大赦等を憲法から削除するために800億円もかけて憲法改正を行うことは政治的エネルギーの浪費であろう。だから、英国のように、王制の遺物である大赦等が憲法上は存続しているが、時代に合わないので「抜かない刀」にすることが政治的知恵であろう——と私は主張しているのである。

「表現の自由」をどう考えるか

収入増の期待に目がくらみ「表現の自由」がわかっていない民放連

2019年5月9日の衆議院憲法審査会における民放連の発言には驚かされた。いわく、憲法改正国民投票の際の賛否の「有料」広告の規制について、「『表現の自由』（憲法21条）に抵触する恐れから、CMの『量的』規制はできない。しかし、『内容』の精査（つまり規制）で対応する」。

現行の国民投票法では、資金の豊富な与党・改憲派は、大手広告代理店に確保させたいわゆるゴールデン・タイムの枠にたくさんの広告を流すことができる。他方、資金の乏しい野党・護憲派は、あまり目立たない時間帯に細々と広告を出すことしかできないだろう。これは客観的に明白な事実だが、これではハンディキャップ（不利な条件）を付けられた競争で、それこそ法の下の平等（憲法14条）に反してしまう。

このままだと、国家すなわち私たち全国民の命運に関わる憲法改正が、「美しい日本！」「誇りの持てる日本！」「自衛官の子供が泣かないで済む日本！」などという法外の情緒的な概念のサブリミナル効果（潜在意識に刷り込む手法）で帰趨を決められてしまうことにもなりかねない。

また、表現の自由の「規制」の手法という観点からも、民放連の認識は憲法常識から恐ろしいほどにかけ離れている。

つまり、①民主政治の不可欠な前提である自由で公平な情報の流通という観点から、確かに、表現の自由の規制は最大限に慎重であるべきだ。②そこで、改憲の賛否両論に対する最も公平な規制は、どちらにも「同じ時間」を与えること（量的規制）である。③その点で、「内容の精査」とは、内容を民放連が「検閲」することに他ならず、それこそ憲法21条違反である。

その結果、民放連による検閲で、「美しい日本の憲法」は「許可」され、「改憲で日本は戦争をする国になる」は「改憲と戦争の因果関係が立証されていない」として「不許可」にされることは、私には火を見るより明らかである。

国民の知る権利に応える表現の自由を担う民放連が、収入増の期待に目がくらんで、表現の自由の意義を忘れたようで、恐ろしい。

■この機会に再考したい「表現の自由」の本質と原則

憲法21条（表現の自由の保障と検閲の禁止）は、人間社会の中に当然に存在する多様な意見の自由な流通と衝突を経て、そこから、あらゆる問題に関して国民の理解を深め、個人としても集団としても正しい判断ができる社会状況を維持するためにある。

そういう意味で、公権力も放送メディアも、それが権利乱用（つまり明白な嘘）である場合、または明らかに公益に反する場合（つまり名誉毀損や犯罪教唆）の他は、表現の自由を尊重しなければならない。

だから、公のイベントであれ、公の施設であれ、放送メディアであれ、本来的に公共性のある場では、対立のある論点について表現することを希望して来た者には公平に「先着順」に機会が与えられるべきである。

それに対して、公のイベントの主催者や公民館の管理者や放送の編成担当者が、例えば「その表現は『反日的』で気に食わない」という理由で「特定の」表現行為を事前に排除するとしたら、それは典型的な検閲で憲法違反である。もちろん、それが事後の制裁であっても、表現の中止、あるいはその後の排除を招くものは、検閲の一種として違憲であることに変わりはない。

愛知の国際芸術祭で中止に追い込まれた「表現の不自由展・その後」は、表現の自由の本質を再考するよい機会を私たちに与えてくれた。

まず、特に問題とされた「平和の少女像」は、さまざまな政治的評価はあるが、それが彫像芸術であることは否定し難い。また、昭和天皇の肖像を燃やす映像が、賛否は別にして、天皇の戦争責任を問う表現であることは理解できる。加えて、天皇は公人であり、不敬罪が廃止された現代において、天皇が公的批判の対象になり得ることは防ぐべきではない。

だから、公権力としては、芸術祭の企画を託した人物が選定した以上、それらの作品の展示を受け入れる義務があるはずだ。

その上で私は、慰安婦の問題では「強制」「20万」など歴史的検証に堪え得ないことが主張されている点は問題だと思うし、また、天皇の戦争責任は静かに言葉で主張すべきことだ……と思う。私はこの展示にこのような反論表現をお返ししたい。

■「表現の不自由展」の再開を歓迎する

人間は皆、先天的に「個性的」な存在で意見は多様で当たり前である。また、科学も道半ばで、この世には不可解なことが満ちあふれている。それでも、人類は同じ地球という船に乗ってどこかへ向かっている。しかし、人類の共同生活の目的が最大多数の最大幸福であることは、誰も否定し得ない。

そこで、表現の自由を保障することで、お互いに仮に「不快」や「非常識」と感じる表現であっても、それが犯罪でない限り、お互いに「言いたいことを言い合う自由」を享受することにより、人類は相互に理解を深めながら文明を向上させてきた。

その点は、愛知の「表現の不自由展」の顚末(てんまつ)は、巨視的に見ればよくわかる。

まず、歴史的に未解決な「慰安婦」問題や戦前の法制下では「不敬罪」に当たる表現を含む展示が企画された。その内容を知った主催者でもある河村(かわむら)たかし名古屋市長が、個人的な好悪からそれを恫喝(どうかつ)した。それをきっかけに、その展示を「好まない」人々が多数で事務局を脅迫(犯罪)した。その状況の中で、運営者は参加者の安全等を考慮して、展示を中止した。

そしてさらに、その展示内容を真っ向から否定する立場を公言してきた人々が構成する政権が、事前に決定してあった国からの補助金の不交付を決定した。理由は、形式的には、その表現の「内容」が不適当だからではなく、その批判による運営の困難を予測しておりながら、それを事前に報告していなかった「手続き」上の瑕疵(かし)による、と説明された。

これで、今後は同様の文脈で事前に決定した補助金を不交付にできる先例が生まれた。その結果、政治的多数派が好まない展示は、違法な脅迫による中止かそれを理由とした補助金不交付を恐れて、補助金申請や展示そのものを自粛する風潮が広まるのが自然である。だから、今回の不交付は、表現の自由を萎縮させる(事後)検閲(憲法21条違反)に他ならない。

主催者である愛知県は今回の国の処分を法的に争うとのことだが、当然である。

主催者は急きょ「表現の不自由展」の再開を決定したが、この「禁止命令」にも等しい状況を突破したことは表現の自由を守る観点から歓迎したい。

表現の自由を理解しない「嫌『反日』」論者

愛知の「表現の不自由展」を巡(めぐ)っては、「『反日』表現を自費で行うのは自由だが、それを公費で行う自由はないはずだ」という怒声が全国で発せられ、それが多数の共感を得ていることも実感させられた。

しかし、それこそ表現の自由に対する無理解であり、それに多数派がためらいを感じていない状況が不気味である。大日本帝国末期の「『非国民』は赦さない!」の空気に似てきたようで、心配である。

人間は皆、ＤＮＡが異なる以上、本来的に個性的な存在である。その人間たちが共同生活している場が国家で、そこでは、誰にも等しく表現の自由が保障されているから、公平に利害が調整されることになる。これは民主政治の不可欠な前提で、多数派、少数派にかかわらず等しく表現の自由が確保されていない国で真に民主主義は機能しない。

かつて、自衛隊の海外派兵を認める法律の合憲性について国民的大論争が展開されていた時に、私は大変不快な体験をした。私を招いてその法案に反対する集会が予定されたが、一度は公民館の使用を許可した市役所が、与党からの批判を受けたとかで、「そのような『一方的な政治的主張』に公の会場は使わせない」と言い出したのである。他市や大学でもそのようなことが頻発した。かつてはなかったことである。

それまでは、憲法公理どおりに、右派、左派にかかわらず、公の会場が空いてさえいれば先着順に集会を開くことができた。つまり、市役所が事前に集会の「内容（政治性）」を審査し介入することなどなかった。なぜなら、それこそ違憲な「検閲」だからである。

行政の介入により少数派が集会を行えなくても、多数派は、御用メディアに加えて、資金力があるために有料の宴会場などを利用して自分たちの主張を拡散していくことができた。ここに明らかに表現能力の格差が作られてしまった。

同様に、公的資金を受ける展示会の作品の選択に際して、それが「反日」であるか否か？　は判断基準にしてはならないものである。なぜならば、「反日」的な主張とそれを批判する主張の両者に公開で堂々と論争する場を提供することこそが公の仕事だからである。

「反『反日』」の人々がすべきことは、『反日』を公開の討論で論破することであり、『反日』を恫喝して公開の討論場から退場させることではない。

「学問の自由」と「日本学術会議」問題

学問の自由をわきまえない菅政権
歴史に学ばない中世暗黒国家か？

憲法23条は「学問の自由は、これを保障する」と明記している。単純な一文であるが、それには長い歴史的背景と深い意味がある。

かつて大日本帝国では、天皇を「神」と崇（あが）めた政治的風潮が、天皇は国家という法人の一「機関」だという当たり前な説明をした東大名誉教授を、不敬だとして貴族院議員の地位から追放してしまった。そして、「皇国には神風が吹く」などという非科学的な思い込みで大戦に突入して惨敗に至った。古くは、地動説（真理）を支持したイタリアの物理学者ガリレオ・ガリレイが政治的宗教裁判により学説の放棄を命じられた話が有名である。

科学者は、客観的な事実と論理のみに基づいて物事の「因果関係」を明らかにすることにより、文明の進歩つまり人類の幸福の増進に貢献することを使命とする者である。

しかし、歴史的には、自分の野望の妨げになると考えた政治権力者、大資本家、商売宗教家から科学者が弾圧された事例は枚挙にいとまがない。

そのような体験から、欧米において人権としての「学問の自由」が確立され、日本国憲法にも導入された。

だから、政治権力は学問の自由に介入してはならない。つまり、「政治は学説の故に学者の扱いに差をつけてはならない」という憲法原則が存在することを忘れてはならない。

今回、菅首相は、学者の中央機関である日本学術会議の新会員候補として同会議から推薦された105人のうち6人だけを任命しなかった。制度上は、任命権者は首相である。しかし、それは同会議の権威性を確認するために形式的に首相による任命と定めてあるだけで、首相に「拒否権」があるわけではない。それが立法趣旨として記録されている。だから、これまでの首相は一貫して被推薦者を機械的に任命してきた。

首相は拒否の理由を説明していないが、その拒否された6人は安保法制や共謀罪に反対してきた人々である。これこそまさに政治権力による学説差別の典型であろう。

学問的実績の高い学者が学問的良心に従って政権からの提案に異を唱えたら権力を

使って不利益処分を下す。これは、現代の踏み絵であり、まるで中世の暗黒国家のようである。

■「言い逃げ」の「総合的、俯瞰的判断」を許すな その「内訳」を問い続けるべきだ

日本学術会議の新会員の一部の任命を菅首相が拒否したことが大問題になった。自民党は、「任命権がある以上、任命も拒否もあり得る」という単純論法で開き直ろうとしたが、それでは世論が納得していない。それは、その人事が政治家の人事と本質的に異なり、単純に多数決民主主義で説明できるものではないからである。つまり、「政府にとって都合の悪い学説を表明した学者は、政府が介入して『不利益』を与える」という先例を許してしまったら、学者も人間である以上、萎縮するのが自然で、それこそ、政治権力が犯してはならない「学問の自由」の侵害（憲法23条違反）になってしまう。

だから、批判する側は、当然に、政府に対して、まず、「任命拒否の『理由』を明示する」ことを求めている。

それに対して、政府側は、首相は「いろいろな見地から」判断したと答え、内閣府官房長は「総合的、俯瞰的な観点から」判断したと答えている。

しかし、それでは答えになっていない。つまり、求められているのは任命を拒否した「理由」であるのに、政府側は拒否の判断をした「方法」について答えているからである。

とはいえ、「いろいろな見地（側面）について、総合的かつ俯瞰的に（全体を見て）」判断したという以上、多数の項目（例えば、学歴、職歴、専攻、業績、「社会的活動」など）についてまず個別に評価し、それらを数値化して、合計点と欠格事由を加味して結論を下した……と、判断「方法」について白状しているような話である。

だから、今回は、いつも「問題ありません」と木で鼻をくったような菅首相を逃がしてはならず、「問題があると思うから尋ねているので、政府が言う『総合的判断』の『内訳』を話してもらわないと評価のしようもない」と追及し続けるべきである。それでも政府が判断の「理由」を開示しないならば、それは、開示しても恥ずかしくない理由が存在しないことの自白に等しい。

いずれにせよ、政治権力が「学者」に「評価」を加えるということ自体が、学問の自由をわきまえない恥ずべきことなのである。

■菅首相は「学者を個別に評価したこと」を自ら認めた

2020年10月9日、マスコミの中から3社だけ選んでの「グループインタビュー」で、菅首相は、日本学術会議の被推薦者6人の任命を拒否した「理由」として、官僚が用意した文書を読んで、次のように繰り返したとのことである。

いわく、学術会議の会員は、「広い視野を持ち、バランスの取れた行動を行い、国の予算を投じる機関として国民に理解される存在であるべき」だと。

記者会見でこのような文書を何回も読み上げて恥じない首相は、絶望的に無教養である。私も法政大学で教壇に立ったことがあるが、あの伝統ある大学を卒業した「法学士」でありながら、首相は、憲法23条が保障している「学問の自由」の意味を全く知らないようである。

そのような首相に人事権で縛られて、このようなインチキ答弁書を書かされた官僚の立場は惨めであろう。仕事とはいえ、自覚して、天下に向けて「嘘」の回答を書かされたのだから。

「学問の自由」の保障とは、学者が学問的良心に従って行った言動の評価は、まずは学者同士の討論に委ね、最終的には歴史の判断に委ねるべきで、間違っても時の「権力者」が介入すべきではない……ということである。

にもかかわらず、今回、菅首相は、特定の学者の言動について、「広い視野を持っているか?」「バランスの取れた行動であるか?」について自分の権限で判断したと告白し、その結果、「国の予算を投じる機関（の構成員）として国民に理解される存在『ではない』」と評価した……と認めたのである。

問題は、無教養な菅首相にはそのような判断を下す「能力」が事実としてないことではない。問題は、仮に菅氏が高い実績の学者（例えば法政大学長）であったとしても、同時に、「首相」という権力者の地位にある間はそのような判断を下す「資格」が憲法により禁じられている……という自覚がないことである。

にもかかわらず、高い実績の学者たちが全国から会議に集まるために1人につき月2万円余の交通費を用意する程度のことを逆手に取って学術会議に介入しようとするとは、「選挙に勝った者には、憲法・法律に反しても、何でも従え」という、政治権力者の思い上がり以外の何ものでもない。

■問われて答えられないなら首相失格だ

臨時国会で所信表明演説を行った２０２０年10月26日の夜、菅首相はＮＨＫのニュース番組に出演した。そこで日本学術会議の任命拒否問題を問われて、「説明できることとできないことがある」などと目に怒りをみなぎらせて答えを拒否した。その直後に、内閣広報官がＮＨＫに電話して「首相は怒っていた」旨を伝えたとのことである。

さらに、その後、官房副長官が、取材に対して、「首相への出演依頼は『所信表明』についてだったのに、番組では、所信表明で触れていなかった『学術会議』問題への質問が多かった。これは『約束違反』である」旨の認識を示したとのことである。

この年は米国で大統領選挙があったので、日本でも米国の政治家たちの演説や記者会見をテレビで観る機会が多かった。そこでは、責任ある政治家たちが、当然、原稿なしでその場に合わせて自分の意見を語り、突然の質問にも逃げずに臨機応変に答えていた。これが、言葉によって立つオピニオン・リーダーたる政治家の在り方であろう。

今回、菅首相は、憲法23条（学問の自由）を根拠に、特別法により、一般職公務員とは違った自律機関とされている日本学術会議の人事に介入した。これは明白に違憲・違法な異常行動であるが、首相はあえて介入した。

だから、それには政治家として確たる理由があったはずである。もしそうでなかったら、そもそも介入すべきではなかった。

にもかかわらず、それほど重大な決定を首相として公然と行っておきながら、主権者国民の知る権利を代行しているNHKの番組内で、その「時の話題」を問われて「答えられない」と凄み、後に側近から「約束違反だ」と言わせて放置する。全く論外な話である。

公人中の公人である首相が、現行の憲法と法律に明らかに矛盾する政治的決定を行った事実は動かしようがない。そして、その点を公然と問われて、答える内容を持ち合わせていないのなら、政治家失格である。また、きまりが悪くて答えられないのなら、それは悪事の自白のようなもので、これまた政治家失格である。

この人は本当に首相の器なのであろうか？

■今度は準備して嘘をつくのか

２０２０年10月26日のＮＨＫ報道番組では、「問われない」約束だと思っていたせいか、学術会議会員の任命拒否について問われたら、怒って回答を拒否した菅首相であるが、12月４日の記者会見では、むしろ笑顔で明解に自説を開陳した。

いわく、①内閣法制局の了解を得た政府の一貫した考え方は、必ずしも（同会議からの）推薦どおり任命しなければならないわけではない。②日本に研究者は90万人いるが、学術会議に入れるのは会員２１０人と連携会員２０００人だけで、彼らの推薦がなければ新しい人が入れない現実がある。既得権益、悪しき前例主義を打破したい。③そういう観点から自ら判断した。

しかし、この主張は矛盾に満ちている。

①かつての「戦争法」（平和安全法制？）騒動の際に、「憲法９条の下では海外派兵は禁じられている。つまり、改憲せずに海外派兵はできない」という歴代自民党政権の「一貫した」見解を守っていた法制局の長官を更迭して強引に解釈変更を行わせた安倍政権の官房長官が、いま、法制局の「了解を得た」とは、驚かせないでほしい。

しかも、学術会議の推薦を拒否できるという立場が「政府の一貫した考え方」だとは、真っ赤な嘘である。憲法23条（学問の自由）の下で、学術会議は、一般職の公務員とは別建ての特別法で人事の自律性が保障されている……というのが、政府の一貫した立場である。

②既得権益と悪しき先例主義を言うならば、世襲議員、政党助成金、記者クラブ等、目の前に真性の悪しき既得権益があるではないか。しかも、以上は、問われているあの6人を拒否した理由を何も語っていない。

③こんな判断しかできないのなら、政治家としての資質が問われて当然である。どんなによい制度でも、長い歴史の中で、正しくない運用が行われて悪しき慣行ができ上がってしまうことはある。しかし、学術会議については、必要な改革はその自治に委ねるべきだというのが、人類の歴史的体験に学んだ憲法23条の趣旨である。

そして、一番行ってはいけないことだとされているのが、政治権力による学術組織に対する人事介入である。この点だけは譲りようのない世界の常識である。

■「学問の自由」への無理解
新会員任命拒否と学術会議改革は別問題

日本学術会議の新会員の任命拒否問題がクローズアップされたら、それと並行して、学術会議の在り方が批判的に問題にされ、政府・自民党において学術会議が行革（リストラ?）の対象にされるに至っている。

しかし、この2つは全く別の問題である。前者は、政治権力が学者を政治的に評価してはならない……という問題であり、後者は、学者の団体の、組織としての在り方に政治権力は介入してはならない……という問題である。

かつて、ガリレオ・ガリレイの地動説を政治権力が断罪した事件、大日本帝国が美濃部東大名誉教授の天皇機関説を不敬と断じて貴族院議員を辞職させた事件等に反省して、人類は、人権としての「学問の自由」を確立し、それは日本国憲法23条にも明記されている。

その効果として、第1に、政治権力は学者の学説を政治的に評価してレッテルを貼ってはいけないのである。そして第2に、学者の組織の在り方は、その構成員の自治・自律事項で、学者の組織の在り方に政治権力が介入してはならないのである。

いま、菅政権と自民党は、これらの2つの憲法上の禁止を破ろうとしている。

これは一見、冗談か皮肉のような話になってしまうが、「自由」で「民主」的な社会は「多数の『異論』が共存できること」を前提にしている。それは、人間が皆、本来的に個性的な存在だからである。

自然に存在する多数の異論が討論を重ねながら、節目ごとに多数決で当面の方針（法律と予算）を決め、さらに、状況の変化に応じて議論を重ねてまた決を採り直して（改正と補正を行って）前進していくのが自由で民主的な社会であったはずである。

にもかかわらず、安倍政権以降の自民党政権は、「異論の存在は許さない」と言わんがばかりに、メディアの統制を進めてきた。政府に批判的な発言をする者をその理由を問わずに、露骨に論壇から排除してきた。

そして、今回は、ついに学界にまで介入の手を伸ばしてきた。これでは「自由民主党」の自己矛盾であろう。

かつての自民党は異論ともおおらかに渡り合う自信があった。あの時代の姿が正しいことを思い出してほしい。

「カジノ」問題、N国問題

横浜市のカジノ誘致は憲法違反だ

憲法92条は地方自治の大原則として、「地方自治の本旨」を保障している。それは、一般に「団体自治」と「住民自治」の保障だと理解されている。つまり、その地方に特有な行政課題については（国の指図を受けずに）地方自治体が決め、その自治体内部では主権者・住民が決めること……が保障されている。間接民主制を原則とする国政（憲法前文1段）とは大きな違いである。

2019年8月に林文子（はやしふみこ）横浜市長がカジノ賭博の招致を唐突に決定・発表したことに反発して超党派の住民運動が立ち上がった。

まず、国策としてカジノの合法化が決定されたことに呼応して、いかにも地元選出の有力政治家の指示に従ったかのように市長が手を挙げたことが、「団体自治」の放棄に見えた。

さらに、「住民自治」の否定のほうが露骨で深刻である。横浜市に賭博施設を誘致して市財政を依存するということは、横浜市を文化都市からマカオのような歓楽都市に変えるという歴史的に重大な決定である。そしてこれこそが「住民自治」の出番であったはずである。にもかかわらず、前回の市長選挙でも市議選挙でも、与党側は「カジノ問題は白紙だ」として争点にしなかった。

その上で選出された市長と与党会派は、唐突にカジノ招致を決定し、市民に一方的に説明はするが「変更はあり得ない」と公言してその準備の予算も付けてしまった。

横浜市は全国で最大の政令指定都市で、文明開化の歴史のある港町で、自然が残る住みやすい文化都市である。それを、事前に市民に相談することを意図的に回避して、突然「マカオのような闇を抱えた町に変える」と言い渡されても市民が黙っていると考える政治家たちはあまりに傲慢で軽率であった。

だから、怒った市民団体が市長のリコールを求めて署名活動を行った。さらに、別の団体が、この問題は「各自の賛否にかかわらず、市民が直接判断を下すべきものだ」として、住民投票条例の制定を求めて9月から署名活動を行った。

いずれも期間は2カ月間で、私たちの生活の中で実際に憲法を生かそうという主権者としての自覚と怒りが原点であった。

横浜カジノ問題は日本の民主主義の問題だ

カジノは、あのラスベガスを思い起こすだけでわかるように、一晩で客の全財産を奪えるように工夫された危険な博打である。もちろん、現在は刑法185条で犯罪である。それは、全ての人間の心の中に潜む「努力せずに一獲千金を願う」思い（射幸心）を逆手に取って破滅させる罠（わな）だからである。

ところが、政府自民党は、新しい経済成長戦略の手段として、2018年にIR（統合型リゾート）整備法を制定した。国際会議場、ホテル、遊園地等にカジノを併設したもので、そこでカジノを例外的に合法化しようという、要するに「カジノ賭博合法化法」である。

しかし、博打で経済成長をという発想自体が間違っている。博打は、人が真面目に働いて蓄えたお金を掠（かす）め取る業で、そこには「経済成長」の要素などひとかけらもない。経済成長とは、日本の実力で有用なものを生み出してその対価を得る延長線上にあるはずである。

カジノは、いわばマインド・コントロールで身ぐるみを剝ぐ場であるために、カジノで潤っている街には必ず麻薬と売春がはびこり、それらを管理するマフィアが進出してくる。これが世界の現実である。

このように異常な事業を文化都市横浜に導入しようと、林市長が手を挙げ市議会多数派（自公）がそれに賛同している。しかし、前回の市長選でも市議選でもカジノは意図的に争点として避けられた。あらゆる調査で市民の70％前後がカジノの導入に反対している。だから市長と市議会自公は有権者を明白に裏切っている。

憲法92条は地方自治の本旨（団体自治と住民自治）を保障している。それは、その自治体に特有な課題は、国の介入を排して、その自治体の中で住民が主体となって決めることの保障である。だから、市民団体が、地方自治法にのっとって、法定数の3倍超の署名を集めて「カジノの是非に関する住民投票」の実施を求めたが、失礼なことに、市長は反対意見を表明し市議会は提案を否決した。

これは、カジノに頼る愚かな国策に盲従する市長と市議会与党が主権者市民の意思を問うことを公然と拒否したことで、民主主義の根幹に関わる問題である。だから、これは、いち横浜市に限られた問題ではなく、全国どこででも明日にでも起こり得る憲法問題である。

■カジノで景気を語る政治家は「詐欺師」か？

刑法は賭博（つまり、財物を賭けて偶然性が支配する勝負）を行うことを犯罪だとしている（185条）。それは、すべての人間の本性に潜む射幸心（偶然の利得を期待する浅はかな心）が人間を廃人に転落させることが、公知の事実だからである。つまり、賭博は麻薬と同様に、人間にとって絶対悪である。

にもかかわらず、「戦災からの復興」などと口実を立てて、「公的に管理された」ギャンブルは例外的に合法化するという方便がまかり通り、わが国はすでに世界でもまれに見るギャンブル大国である。冷静に考えてみれば、ギャンブルは本来的に国民大衆の味方であるはずがない。全てのギャンブルは、その賭け金の総額からまずその運営経費と行政への上納金を天引きした残りを客に配当する以上、賭けた人々は全体として初めから「食い物にされる」仕組みになっている。

だから、そうして庶民から巻き上げた金で「景気がよくなる」「歳入も上がる」などという絵空事は、実は、単純明白に、庶民からバクチで搾り取った金で特定の業者と行政が潤い、その用心棒のような族議員への政治献金が増えるだけのことであろう。

しかも、今回も言い訳のように「依存症対策」を充実するなどとしている。ギャンブル依存症は薬物中毒と同じで、本人は「悪い」と十分にわかっていながらも抜け出せないから中毒なのである。その結果、生活が破綻して家庭まで破壊されてしまう。依存症対策の唯一最良の選択肢は、依存症患者を生まないこと、つまり合法ギャンブルなどをつくらないことに尽きる。

ここ数年「アベノミクス」などとはやしてきたが、庶民には経済が上向いた実感はない。揚げ句の果てが「統合リゾート（要するにカジノというギャンブル）」で景気を浮揚させると言い出した政治は、まるで権力を握った詐欺師のようである。

事柄の本質として、ギャンブルは何も生産しない以上、それが経済の牽引車になどなれるはずはない。庶民の懐から金を掠（かす）め取り、病人を増やし、特定業者と特定権力者を利するカジノには断固反対すべきである。いまからでも遅くはない。

■ＩＲ整備などと言うな！「カジノ賭博合法化」と呼べ

政治が何か新しい政策を打ち出す時には、それが何を意味するかを主権者国民にわかりやすく提示するのが筋であろう。

ところが、政治は、真の論点を主権者国民に知らせずに決定を下しやすいように言葉のトリックを用いることがある。例えば「平和安全法制」である。従来の政府見解でも憲法９条の故に海外で「戦争」に参加できないとされていたわが国を「戦争」ができる国に変える法律を、あえて、「戦争」の反対概念である「平和」を冠して呼んでいる。

いま話題のＩＲ（統合型リゾート施設）整備推進法もその典型である。まず、「ＩＲ」などと聞いた瞬間に普通の人は興味をなくしてしまう。それでも調べてみると、それは「ホテル、ショッピング・モール、レストラン、劇場、映画館、アミューズメント・パーク、スポーツ施設等が一体になった観光施設」だそうである。しかし、そんなものならすでに日本中にたくさん存在する。現に、その新設について反対運動が立ち上がっている横浜市では、予定地の目の前にもっと大規模な「統合リゾート施設」が存在する。

にもかかわらず、新法を制定してまでその「ＩＲ」を新設したい理由はただひとつ、カジノという、伝統的に刑法（１８５条）で犯罪とされているバクチを、例外的に合法化したいという点にある。ならば、その新法は、「ＩＲ推進法」などと呼ばず、端的に「カジノ賭博合法化法」と呼ぶべきである。

そうすれば、主権者国民はその法律に関する真の論点に気づき、もっと真剣に考え、2016年の強行採決などは許さなかったはずである。だから、カジノ賭博場が具体的に立ち上がっていないいまなら、改めてその是非を考えてみる時間がある。

論点ははっきりしている。①政府はカジノが景気を上向かせる……と言うが、本来的にバクチは、何も生産せず、人々がすでに得た収入の一部を掠め取るだけのものである。②政府は賭博依存症対策を採る……と言うが、むしろ、患者を増やす賭博を新設しなければ済むはずである。③政府は税収が足りない……と言うが、むしろ、現に税収の使い方が間違っていることが問題なのではないか。

■「賭博」の説明を避けた「横浜統合リゾート・エキスポ」の欺瞞

2020年1月29日に横浜で開催された「統合リゾート（ＩＲ）産業展」に行ってみた。要するに、山下埠頭(ふとう)にカジノ「賭博」を誘致したい横浜市と、そこに参入して利益を得たい業者が一堂に会して、バラ色の「夢」を拡散しようとするお祭り騒ぎであった。

私は、世界の各地でカジノで成功した3業者の英語でのプレゼンテーションを興味深く聴いた。ギャラクシー（モナコとマカオ）とゲンティン（シンガポール）、サンズ（ラスベガスとシンガポール）である。皆一様に、資金力、実績、地域貢献を強調していた。ところが、最大の収益部門であるカジノの実態には全く触れなかった。

わびしい漁村（モナコ）、海辺の未開の湿地（シンガポール）、植民地貿易港（マカオ）を開発し、立派な観光＋国際会議施設を造り、一流の「おもてなし」を提供している。その結果、地元にたくさんの雇用と取引と税金が生じた……と、素晴らしい話ばかりである。

しかし、語るに落ちている場面もあった。国際会議場や美術館などは本来的に収益率は低いものだが、そこを補填（ほてん）して高水準を維持する財源はカジノの収益だと言っていた。

実際に海外のカジノに行ってみて実感できたが、カジノは、人間の本性の中に潜む射幸心（努力せず一獲千金を望む魔）を誘導して一晩で全財産を奪う完成されたシステムである。時間を忘れさせる空間で美女が美酒と美食をサーブしてくれて、一度「勝った」快感を覚えさせられたら、全財産の限度で即座に借金が許され、気がついたら無一文になって朝を迎える。こんな客になりそうな資産家は横浜市内にいくらでもいる。その結果、郊外の駅前の豪邸がいつの間にか大企業による分譲マンションに変わっても、その原因がカジノだとは誰も気づかないであろう。

賭博は麻薬と同じで犯罪である（刑法185条）。それを例外的に合法化する正当性はいまの横浜市にはない。市は「財源不足」を言う。しかし、それでは日本中が賭博場だらけになってしまう。日本第2の都市横浜には十分な財源はある。問題は、市にそれを市民福祉に使う意思がなく、それをいわゆる箱もの（建築土木）に使ってしまう点なのである。

■マツコ氏vsN国立花氏 脅迫か？ストーカーか？論争か？

東京MXテレビの番組中のコメントで、マツコ・デラックス氏が、当時の「NHKから国民を守る党」（N国）について、「冷やかしじゃない？ ふざけて入れている人も相当数いるんじゃないか。気持ち悪い」などと語った。

それに対して、N国党首・立花孝志氏が、マツコ氏が出演中のスタジオ前に押し掛けて、「番組内で反論の機会を与えよ。（名誉を毀損されたので）謝罪を求める。それが果たされるまでこの突撃をやめない」旨の街宣をした。

これは、形式的には表現の自由の衝突であるが、脅迫か？ 強要未遂か？ ストーカーか？ と論争を招いている。

まず、マツコ氏がN国を「冷やかし？ ふざけている？ 気持ち悪い」と評したことであるが、N国に関するこれまでの報道などに接してそのような印象を持ったとしても、それは特に異常ではないと、私は思う。

まず、いまのNHKの報道姿勢が中立公正な公共放送のものとは言い難いのは事実であろう。しかし、だからといってスクランブル（見る者だけが支払う）制度にしたら公正になる……という因果関係がはっきりしていない。

むしろ、一部の「お友達クラブ」のポピュリズムに支配された偏った放送局になってしまう……と考えるほうが自然な推論ではなかろうか。本来の公共放送を追求するのであれば、国民全体が経済的に支え、その人事・番組編成に時の政権が介入しない保障を確立することが筋であろう。

加えて、地方議会を渡り歩いてきた党首の経歴や、丸山穂高（まるやまほだか）代議士を入党させたことなどが、N国が一体何をしたいのかをわかりにくくしており、マツコ氏のコメントは、自然で合理的な推論の帰結として、名誉毀損で有責になどならない……と私は思う。

いま、N国がすべきことは、マツコ氏に対してストーカーのようなエネルギーを割くことではない。むしろいまは、自ら発信力を有する幹事長・上杉隆氏を迎えて、自らの政策を改めて精査し深化させて着実に発信を続けるべき時ではなかろうか。

そうすれば自然に信用は確立するし、それが表現の自由の効果というものである。

選挙制度を悪用したN国の「愉快犯」？

2020年7月の都知事選に際して、3人の候補者を公認した政治団体があった。

しかも、そのポスターが意表をついている。1枚には同党の候補者の氏名と顔写真が載っているが、他の2枚には、候補者の氏名も顔写真もなく、他の有名人の顔写真が載っていて、3枚並べて掲示されている。

これに対して、都の選管は、「選挙妨害、利益誘導等の記載がなければ、ポスターに誰の写真や名前を載せるかは候補者の自由で、違法とは言えない」と語ったと報道されている。

さらに、同団体の代表は、堂々と、「今回の知事選は、次の衆院選などに向けた党の知名度向上が目的で、3枚並んだほうが目立つし、ルールにのっとってやっており、誰にも迷惑をかけていない」と公言したそうである。

しかし、まず、定数1の知事選挙に3人の公認候補を同一政党から立てたこと自体が論外で、そもそも「制度の悪用」として、立候補を受理すべきではなかったのである。

しかも、これは明らかに有権者を戸惑わせて混乱を招いている。だから、これは広義の「選挙妨害」であり、公金の乱費も招いており、「誰にも迷惑をかけていない」などと嘯かせて放置しておいてよいはずがない。

憲法は表現の自由を保障している（21条）。しかし同時に、全ての人権に適用される人権総論である12条で「この憲法が国民に保障する権利はこれを『濫用してはならない』」と規定し、さらに13条で「国民の権利は『公共の福祉に反しない限り』最大の尊重を必要とする」とも明記している。

だから、今回のホリエモン新党の行為は、知事選の制度趣旨に明白に反しており、有権者の混乱を招き、公金を乱費させており、本来は法律で規制・排除されるべき一種の「愉快犯」であろう。

つまり、これは、「ポスターの目的外利用」（権利濫用）として規制できるはずだし、新類型の「選挙妨害」（公共の福祉に反する）として立法により禁止できるし、そして何よりも、1人区に同政党が3人の公認ということは、「この選挙制度に適合しない」……として立候補を受理しないことができたはずである。

第3章

政治と官僚の正しい関係はどういうものか

――劣化する政治家と劣化する官僚――

■「記憶にない」は自白と同じである

いま、森友・加計・桜問題に加えて東北新社とNTTの疑惑が次々と発覚しているが、それにしても、疑惑の当局者の口から「記憶にない」という言葉が頻繁に飛び出してくることが印象的である。国際的に比較しても優秀であるという定評のある日本の官僚、中でもエリートコースを歩んで高位に達した人々が、日頃の理路整然とした話しぶりから打って変わって、突然、痴呆のごとくに「記憶にございません」を乱発する姿に唖然（あぜん）とさせられてしまう。

しかし、それには明確な理由がある。

議院証言法は、国会で偽証をした者は院が刑事告発できると定めている。その「偽証」とは、事実と異なることを故意に（つまり「わざと」）証言することである。だから、不実の証言をしたことが後でバレてしまった場合でも、それは、「記憶になかったのだからでわざとではない」ので「故意がなく」、有罪にはならない……という理屈になる。

だから、普段は、議場で何を質問されても、正確な知識の裏付けをもって明確に回答する習慣が身に付いている高級官僚が、自らの「不正」に関わる質問に対しては、途端に記憶喪失になってしまうのである。

従って、われわれ主権者国民としては、官僚が公式の場で「記憶する限りでは」と前置きして曖昧な発言を始めたら、それは「悪事を隠している」のだと評価して間違いない。

しかし、われわれは検察官ではないのだから、その者を逮捕して身柄を拘束して尋問する強制的な権限がない以上、その「嘘つき」は堂々と逃げおおせてしまうわけである。

そこで、バカにされた私たち主権者に残された唯一の手段は、そのように、訓練された官僚たちを悪事に走らせた政治的権力構造が明白である以上、その構造を壊す、つまり、「政権交代」を行わせることである。

安倍前首相は、「自分が指示を出していないことは明白」だと繰り返していた。しかし問題は、指示があってもそれを証言するはずのない人々、つまり、指示がなくても「忖度（そんたく）」しておもねる者たちにかしずかれている自分の立場に思いが至らぬ首相を戴いている、いまの日本の権力構造こそが問題なのである。だから、政権交代が急務である。

■「証言を控える」とは罪人からの挑戦だ

森友疑惑の当事者として、国会に証人喚問された前高級官僚が、肝心な質問に対しては、まるで録音の再生のように、「刑事訴追の恐れがありますので、証言を控えさせていただきます」と繰り返していた。

これがいわゆる「黙秘権」の行使である。

黙秘権は、憲法38条1項に明記されており、それは、誰でも「自己に不利益な供述を強要されない」ことの保障である。

同条2項は、さらに、「自己に不利益な唯一の証拠が自白である場合には有罪とされない」と明記し、それは36条の「拷問の禁止」と対になっている。つまり、自白だけで被疑者・被告人を有罪にできる制度だと、警察と検察が、自白を取ろうとして容疑者を逮捕して拷問に走る危険があるからである。これは、歴史的体験に裏付けられた英知である。

しかし、非力な庶民を官憲による拷問から守るための黙秘権であるが、生涯の優雅な天下り生活が保障され、役所による事実上の組織的な証拠隠滅に守られた前高級官僚が、このような形で黙秘権を「悪用」できる議院証言法には本質的な欠陥があるように思われる。

つまり、その前官僚は、要するに、「私は悪事に関わりました。しかしいまだ立証されていない以上、黙って逃げ切ります。ご不満ならそちらで立証してみなさい」と開き直っているようなものである。そして、開き直られた野党議員には、検事のような強制捜査の権限は与えられていない。だから、せっかくの証人喚問も野党議員が大声を出すだけの茶番劇のように終わってしまうのである。

そこで問題になっている法的立証は検察に期待するとして、今、主権者国民ができることは、政治的決着をつけることである。本来は公益に奉仕するために働いていたはずの公僕を、あのような悪事と開き直りに走らせた政治的な力関係にこそ原因があることは、巨視的に見れば明白である。

だから、いまの異常な権力構造を壊すこと、つまり、「政権交代」こそが唯一かつ最も有効な責任追及手段である。にもかかわらず、ほとんどの人々は、状況を見て軽蔑しながらも、内心では諦めてしまっているように見える。投票率を一割上げるだけでけりがつくことである。政権が交代すれば情報は自然に開示されてくる。

■安倍夫妻が「関わった」ことが問題ではない：行政が阿(おもね)ったことが問題なのだ

「モリ・カケ」問題が発覚して以来、安倍前首相は、ご自分も奥方も一切関わっていない……という立場で一貫している。そのため、批判する側はその「関わり」の存在を明らかにしようとし、対する安倍氏周辺は、前首相夫妻は一切関わっていなかった……と言い張ることに躍起になっていた。しかし実は、それは事の本質ではない。

首相に限らず、人間は皆、社会の中で暮らしている。そこでは、誰でもたくさんの親族、友人、知人らとつながりを持っている。だから、人は公私にかかわらず、さまざまな場面で助け合いながら生きている。これが社会生活の現実で、それ自体は何も悪いことではない。現に、国の中央省庁から地方自治体に至るまで、どの役所を訪ねても、毎日、紹介を受けた相談者が訪ねてきている。

実生活の中で、役所で何かの手続きを取らなければならないことは誰でも時々ある。しかし、それは普段経験しないことなので不案内である。そこで、まずその役所に相談するのが自然で、その際、役所はきちんと説明してくれる。それがいわゆる「教示」である。特に議員の紹介を得て行くと当人は安心で、それ自体は何ら違法ではない。行政府の仕事は、法律・条例と予算が、政策として目指している快適な社会生活を実現するために、一律・公平に法令を執行することである。そして、正当な申請が成就するように教示することも行政府の本務の内である。

そこで問題になるのは、ある権力者の紹介で教示を受けた者が、その事例に本来求められている条件を満たしていないにもかかわらず、手続きを完了できた場合である。つまり、本来は小学校を新設する能力がないことが明白な法人が、特定政治家の後ろ盾で設立に必要な手続きを完了できてしまった……とか、本来は新しい獣医学部は不要なのに、その企画内容がお粗末な大学が、特定政治家の後ろ盾で学部新設を認可されてしまった場合である。

「モリ・カケ」問題に安倍夫妻が関わっていたことは客観的に明白である。そこでの中心問題は、両法人に行政が提供した内容の不当性である。

だからこそ見え見えの関係をあえて隠すのであろう。

「桜を見る会」の中止は悪事の自認に等しい

2020年9月16日の記者会見で、菅首相は、首相主催の「桜を見る会」は202

1年以降は「中止」すると表明した。

周知のとおり、19年春の同会を安倍首相（当時）が私物化したことが問題になり、その際の招待者名簿は、野党議員による資料請求の直後に廃棄されてしまった。

菅首相は、当時、安倍内閣の官房長官として、「桜を見る会」の私物化を知る立場にあった。それは、公職選挙法違反の買収、刑法違反の背任、横領、財政法違反の予算の目的外使用であるからこそ、その証拠である記録は表に出せるものではないのであろう。しかし、先進国日本国の行政において記録は「必ず」存在する。

そのような行事を「やめた」ということは次のような意味があるだろう。

①まず、21年に先例どおりに「桜を見る会」を開催した場合、当然にマスコミ等により監視・記録され、必ず、説明に窮する事実が出てくるはずである。だからといって、それを避けた内容では会を開催するうまみがない。②また、会を続行した場合、当然のことながら次回に向けて記録を残さなければならないはずで、そこで、記録を残さなかった19年との矛盾を突かれて返答に窮することになる。③さらに、19年の首相の「犯罪」の公訴時効は3年であるから、22年5月までは刑事事件として立件できる。だから、すべての証拠を知り得る立場にいた新首相としては、時効が完成するまで「桜を見る会」が政治問題化して国民の中から19年の会に関する資料請求が湧いて

出てくることは避けたいはずである。

つまり、今回の中止決定は、政権として19年の悪事を「自認」したようなものである。同時に、菅政権が続く限り、権力により証拠が隠されている以上、19年の「桜を見る会」を刑事事件として立件することは不可能である。しかし、世論調査で明白なように国民の過半数は政府の説明に納得していない。

そして、制度上、2021年10月までに総選挙は必ず行われる。その際に「政権交代」が起きれば、政府の記録は当然に公開されることになる。そうすれば、「桜を見る会」だけでなく、モリ・カケ、給付金中抜き法人等の闇のすべてを明らかにできることになる。だから、選挙に行くべきである。

■法解釈は常識的であるべきだ：「桜を見る会・前夜祭」は供応である

2019年に大きな話題になりながらはっきりせずに終わっていた「桜を見る会」について、ついに疑惑の一部を立証する証拠が出てきた。

安倍事務所が後援会関係の招待者を集めて行った前夜祭の費用が、疑われていたように、1人5000円の会費では賄えず、（年度により1人当たり2300〜3800

0円の）差額を安倍事務所が補塡していたとのことである。これは明らかに公職選挙法に触れる「選挙区内の有権者に対する寄付」（買収）である。

ところが、報道によれば、安倍事務所側は「選挙のために差額を寄付した『意識』はなかった」し、招待客も「食事は物足りなくて、寄付を受けた『認識』はない」ので、結局、双方に寄付の授受の「故意」がなく、公選法違反としては立件されないとのことである。そして、政治資金収支報告書に記載しなかった形式犯として処理されるとのことで、結局、後日そうなった。

安倍事務所が一流のホテルの宴会場を借りて数百人のパーティーを主催し、会費5000円（実経費は7000～8000円）でその場に招かれた者が「会費は安すぎるのでごちそうになっていると感じない」ほうが不自然であろう。また、事務所の側も、ホテルとの事前打ち合わせで1人5000円では足りないと知らされ5年間も補塡し領収書を受けていた以上、「選挙でお世話になっている方々なのでごちそうしよう」と判断していなければ不自然である。

刑法の「故意」とは、当事者の「主観」ではあるが、それも「客観的」な事実関係の中で認定されるべきものである。でなければ、どんな犯罪も犯人が「そのつもりはなかった」と言えば無罪になってしまうだろう。

私は、学生時代、日本の大学と米国の大学院で、「法はその本質において常識的である。でなければ社会は治まらない」と教わったし、教授になってからはそのように教えてきた。

総理大臣が国の功労者を招くべき宴に自分の後援会員を何百人も招き国費で接待し、その前夜祭は政治資金で供応した。こんな疑いを持たれるだけで恥である。証拠が一部であれ出てきた以上、その法的処理は誰もが納得できるよう、常識的に進めるべきものである。

公務員倫理法という無法地帯：これでは法治国家ではない

「法は道徳（倫理）の最低限だ」と言われる。つまり、倫理に反しても法に触れない限りは法的なペナルティーは受けないという意味である。だから、たとえ不道徳でも法に触れなければ合法なのである。

そういう意味で、「国家公務員『倫理』『法』」という名称自体が明らかに矛盾である。つまり、本来は「法」的に追及されないはずの「倫理」に反する行為を「法」的に処分するという無理な建て付けになっている。

だから、今回、図らずも発覚した、自省の法的権限行使の対象者からの供応接待を受けた（これは明らかに刑法の収賄罪に該当する）公務員たちが、国家公務員倫理法と同法に基づく国家公務員倫理規程（政令）に従って、省内での懲戒処分で済まされてしまった。減給10分の2を3カ月以下か、戒告（注意）以下であった。

しかし、改めて事実関係を確認してみるべきだ。総務副大臣、同大臣を歴任し、官房長官を経て総理大臣になった菅氏が、総務相時代に大臣政務秘書官として用いた長男が「贈賄」側である。彼は、その後、父親のコネで総務省管轄下の電波事業会社に途中入社した。そして「収賄」側は、総務省で電波行政をつかさどる幹部たちである。しかも、明らかに条件で劣るその会社に有利に権限が行使された事実がある。これは、モリ・カケ・桜と同質の「権力の私物化」以外の何ものでもない。

こんな悪事がバレても、月給を一部放棄して謝ればそれで高級官僚で居続けられる。こんな国は法治国家ではない。

これでは、公務員「倫理」法というセーフティーネットを作り、不正を行った公務員が刑法犯に落ちないように守る仕組みが用意されているに等しい。

贈収賄罪は計50万円以上にならなければ立件されないという検察「相場」があるとか言われている。しかし、刑法の条文には金額の限度など書かれてはいない。しかも、贈賄額の合計はバレただけでも50万円を超えている。

　このような不正の構造を正す有効な方法は「政権交代」である。そして、このような建て付けの悪い法律は廃止して、このような事例には素直に刑法を適用した上で、政治が官僚人事に介入しない慣行を確立することである。

与党と官僚の正しい関係：官僚は与党の下僕ではない

　菅首相は、「大臣に従わない官僚は左遷する」旨を公言して憚(はばか)らない。その根拠は、国民主権国家において選挙で選ばれた議会内多数派の民主的正統性である。つまり、民意に支持された政権与党こそが政策を決定すべきで、官僚はそれを忠実に補佐すべきだ……という考えで、単純明快である。

　しかし、これはいささか雑に過ぎる。

　選挙で選ばれた議員たちに民主的正統性があることは否定し難い。しかし、それはいわば人気投票の結果で、そこに人材の「質」の保証はない。政治は主権者国民大衆の幸福を増進する業であるが、そこにおいて政策の質こそが最も重要であることは言(げん)をまたない。

そして、その政治の「質」を担保する仕組みが官僚制度である。官僚は、専門分野別に編成されて高度に訓練された人材集団で、彼らは、憲法以下の法令に精通しており、それぞれの担当分野に関する全ての先例と最新の学識を体系的に管理している。つまり、官僚機構はわが国における最高の「think tank」である。

政治家が、建前は「全国民の福利の向上」であっても、実際には自派の支持者のみ有利（つまりその他の人々には不利）な政策を提案することはめずらしくもない。だから、政策を形成する過程で、官僚は、憲法以下の現行法令との整合性、社会的環境の変化等の基本情報を提供して、政策の質の確保に寄与する役割を担っている。つまり、官僚は時に政治家の耳に痛い話もしなければならない役回りなのである。

加えて、政策案が法律と予算に結実した後は、官僚はそれを法令に従って公平に執行する責任を負っている。それが、憲法が保障している法治国家であり法の下の平等である。にもかかわらず、安倍政権以来、与党の側が、与党の意向に苦言を呈す官僚を排して、与党に阿（おもね）る官僚を露骨に重用したために、政権と官僚の有意義な関係が壊れてしまった。その結果がモリ・カケ・桜・東北新社疑獄である。

ここに至っては、一度、自民党と公明党を下野させて、政官関係を本来の正常なものに戻す必要がある。

内閣人事局による憲法破壊：政権と官僚の正しい関係

政治家という職業があまりにも「おいしい」ためか、それを「家業」にして世襲し、特権階級化した与党議員たちと彼らに封建時代の家臣のように隷従する官僚たち、この関係が、いまのわが国を、権力者に近いか否かで国家の国民に対する扱いが異なる、まるで中世の王国のようにしてしまった諸悪の根源である。

民主的法治国家における政権と官僚の関係は、本来、次のものである。まず、選挙で主権者国民から負託された議員たちは、国民生活を向上させるために、国会で議論を重ねた上で法律と予算を成立させる。それを受けて、行政庁（官僚たち）は、全国「一律に」公平に法律と予算を執行し、国民生活を維持・発展させていく。その執行過程で新しい課題を発見したら、行政は、その改善策を内閣を通して国会に提案する。それを受けて、国会は必要に応じて法律を修正し予算を補正する。これを繰り返しながら国民生活が発展していくことが、議院内閣制に期待されているのである。

ところが、いまのわが国では、政治権力者に近ければ、「輸出奨励」などと口実を立てて、儲（もう）かっている大企業が減税を享受でき、教授陣も図書も充足していない大学が公的助成を受けて学部を新設することができ、首相の選挙区の市議の推薦を受けただけで何の「功績」もない者が首相主催の「桜を見る会」で国費で接待を受けることができる。まるで江戸時代劇の「殿と代官と悪徳商人」を見ているようで胸が悪くなる。

しかも、不正が指摘された途端に、官僚が全力で隠蔽し、立証されない以上、悪事はなかったことにされてしまう。そして、隠蔽に狂奔した官僚は恥ずかしげもなく栄転していく。

これは、政権が官僚の人事に直接手を出すようになったために、官僚が法律と予算（つまり法治主義）を盾に与党政治家の理不尽な要求（つまり人治）を拒むことができなくなった結果である。

民主的議会運営の先例国・英米の制度を持ち出すまでもなく、わが国の「内閣人事局」という存在は、法律で憲法を壊した制度以外の何ものでもない。

■「政治に抵抗する官僚は更迭して当然」という誤解

官僚出身の政治家が君臨していたかつての自民党と違い、世襲議員が主流になった安倍政権から、官僚を「政権の下僕」のように扱う政治慣行が確立されてしまった。

安倍政権を受け継いだ菅首相も、「政策の実行には官僚組織を動かさねばならないが、選挙で選ばれた政治が下した決定に官僚が反対したら異動させる」と公言していた。

しかし、その考えは、民主主義と法治主義に対する理解が浅いと言わなければならない。

まず、政権と官僚の関係は本来的に緊張したものだということを理解すべきである。第一に、政治は、国会で与野党による審議を経て法律と予算を決定する。それらが改正・補正されない限りは、仮に政権が交代してもそれが「国策」である。第二に、その国策を憲法以下の法令と先例に照らして誰に対しても公平・正確に執行することが官僚の仕事である。

だから、政権交代した与党が、憲法以下の法令と社会状況が変更されていない状況下で、いきなり国策の変更を指示したら、官僚としてはまず「仕事」として抵抗するのが自然である。つまり、政治としては、まず社会状況の変化に関する自己の認識を開陳し、現場の実情を熟知している官僚と合議する必要がある。その上で合意が成立したら、次に、政治は官僚に法令の改正案等を起草させ、それを国会で野党と討論して新しい国策を議決し、その公正な執行を官僚に委ねる。これが政治家と官僚のまっとうな関係である。

その点で、安倍政権のやり方には問題があった。例えば、「憲法9条を改正しないままでは海外派兵は不可能」という自民党政権の伝統的な見解を語った法制局長官をそれに異説を唱える外交官に代えてその勢いで押し切ってしまった。

また、ふるさと納税制度の（高額所得者ほど有利な）欠点を当然に指摘しただけの総務省の局長を更迭して、制度の欠点をさらに拡大してしまった。

この根底には、「多数決で勝った者は正義で何をしてもよい」という誤解がある。多数でも乱暴に越えてはならない憲法と条理（法的常識）があることを忘れているようだ。

第4章

国民、そして野党勢力はどうすればよいのか

――「憲法壊し」と「法破り」の政治にNOを！――

■政治の使命に反していた安倍政権

政治の使命は主権者国民大衆を幸福にすることである。その幸福の条件は「自由」と「豊かさ」と「平和」である。

安倍政権に懐柔されたメディアと忖度官僚のせいで、私たちは、主権者として当然な情報も与えられず、知る権利が著しく害されている。また、選挙演説にヤジを飛ばすと私服警官に排除される、表現の自由のない後進国のようになってしまった。

アベノミクスは失敗に終わり、労働法制の改悪と増税と医療と年金・福祉の切り下げで、私たちは明らかに貧しくなった。

憲法9条2項が「軍隊」と「交戦権」を禁じているために、政府見解でも海外に戦争に行けない国だとされていたのに、安倍政権下で、「平和安全法制」という人を食ったような名称の法律で海外派兵が許される（？）ことになったという。戦争の危険である。

揚げ句の果てが、国費でお友達をたくさん接待する「桜を見る会」や、側近議員と親しい業者に大学の統一入試を丸投げする。まさに国家の私物化「安倍王朝」状態であった。

看板は菅政権に変わったが、一度政権交代を行えば、官僚機能が復活し、旧政権の悪事の証拠が役所から公開されて犯罪にけじめをつけることができる。

いまの選挙制度の下で自・公が一体化している以上、野党も各区で一本化しない限り、そもそも勝ちようがない。

自公政権の傍若無人に呆れ果てた国民が、この期に及んでも譲り合えない旧民主党の「商売野党」ぶりに愛想を尽かし政治から離れ、結果として自公政権を延命してしまっていることに気づかないほどに旧民主党は愚かである。彼らは、あの希望の党騒動の時に、政策を度外視して右往左往して、「議席＝報酬」が第一関心事であることを国民に見抜かれてしまった。

しかし、そんな彼らでも、政権交代を果たすためには「安倍チルドレン」でないだけましなことは自明である。だから、いまさら「政策が一致しなければ……」「共産党だけは……」などと言わずに、「政権交代による人心一新」を合言葉に野党は協力して有権者の希望を回復させて投票率を高めて総選挙で勝利すべきである。その上で、政策は、自公政権のように論点ごとに協議を重ねて決めていけばよいのである。

■「驕（おご）る平家は久しからず」――政権交代は可能である

史上最長を誇った自公政権も、ついに、「驕る平家は久しからず」の状況に陥ってきた。「自分の地位・権力を頼みとして勝手な振る舞いをする者は、遠からず滅ぶ」という歴史の教訓どおりになってきた。

言うまでもないことではあるが、いまは言う必要があるので言うが、国家権力は主権者国民のもので、本来、国民全体の幸福を増進させるために公平に行使されるべきものである。

しかし、安倍政権の下では、首相（当時）の旧友が理事長を務める学校法人なら、法令上の基準に事実上、達していなくても大学の学部を新設して以後永遠に国庫から助成金を受け続けることができる。また、首相（当時）の選挙区の住民は、安倍事務所か市議に申し込めば、各界功労者が招かれるべき「桜を見る会」に参加して国費で接待を受けることができる。

こんなことは、本来、法治国家であってはならないことで、政権の腐敗・堕落の極み以外の何ものでもない。東北新社の問題も同じである。

政権当局者は、選挙で3分の2以上の議席を獲得した自分たちが何をしようが、「これが議会制民主主義だ」と常に開き直る。しかし、議会内多数派といえども、自分たちが制定した「法律」と主権者国民の最高意思である「憲法」に違反してはならないことは、初歩的な社会科常識である。そして、上記の事例は明らかに関係法令と憲法（国民主権、法治主義）に違反している。

しかし、それでも政権の人事権にひれ伏した官僚たちが全力で証拠を隠蔽するので法的責任が問えない以上、残る手段は主権者国民が選挙で政治的責任を問う政権交代しかない。

もともと、多数派に有利な選挙制度の効果で、実際には40％台の得票で70％台の議席を得ただけの政権である以上、きちんとした野党共闘で政権交代は十分可能なはずである。

ところが、必ず、「政策合意なき共闘は野合だ」「悪夢の民主党政権に戻る」という雑音が返ってくる。しかし、いまの自公政権自体がまさに「悪夢」であるし、憲法政策について合意のない自公政権も「野合」である。

「政権交代による人心一新」こそが野党の正当な統一政策であり、政権交代による権力の「大掃除」こそが何よりも急務であろう。

野党は自民党の「9条改憲案」と戦うべきだ

2019年7月の参院選挙で改憲派議員が参院の3分の2を切ったことで護憲派は安心してはいけない。自民党が野党から4人「一本釣り」することなど、経験上、容易である。それはすでに始まっている。

だから、強行採決を常套手段とする自民党内閣が近い将来に改憲国民投票を提案してくると思っておいたほうがよい。

その際に提案されてくるものは自民党改憲4項目の第1、9条についてであることも、これまでの議論から明白である。

それについて、自民党はすでに「条文案」まで公表している。しかしそれは、「『自衛隊』と書き込むだけだ」と言いながら、それ以上に、これまでは9条の故に「必要・最小限」の自衛しか許されないとしてきた政府見解を否定して、今後は「必要な自衛なら何でもできる条文に変えようとしている。

つまり、この案の本質は、現行9条の下では原則として禁止されている「海外派兵」が、今後は自由にできる……ということである。

にもかかわらず、その発案者である安倍首相（当時）は、あらゆる機会をとらえて、「専守防衛（海外派兵の禁止）の原則は変わらない」「日本国憲法の平和主義は変えない」と断言している。臆面もない嘘つきである。

対外交渉の際に前面に軍事力を押し出す米国やロシアやかつての大日本帝国の姿勢を「軍国主義」と言う。対して、自国が侵略の対象にされた場合の自衛にしか軍事力を用いない姿勢を「平和主義」と言う。

この平和主義から軍国主義への大転換が提案されようとしているこの期に及んで、野党の中には「改憲論議には応じない」「改憲するなら解散権の制約を」などと的外れなことを言っている者も多い。

自民党が前述のように嘘を語りながら着々と進めている世論対策の前で野党が論争を回避してしまっては、自民党の嘘が前提知識を与えられていない国民の間に浸透してしまう。また、議席に照らして公論にかけられることのあり得ない争点を野党がいま掲げていて何の意味があるのだろうか？「場外乱闘」にすぎない。

だから、野党は、いまこそ、自民党の9条加憲案と真正面から向き合って、それが「軍国主義」の復活提案であることを明確に立証して、主権者国民にその事実を知らしめるべきである。事は急を要している。

すでに何回も言い古された「野党共闘」であるが、いまだに当事者たち（つまり現職の野党議員たち）に理解されていないので、また語らせてもらう。

小選挙区（1人区）を中心とした衆議院選挙制度で、自・公与党が事実上一体化した選挙運動をしている以上、野党の側も同様な選挙体制を採らない限り、政権交代など起こりようがない。

今の選挙制度の立法趣旨は、2大グループの対決を前提に、まず、相対的多数派に絶対的多数の議席を与え、激動の時代に政策の決定・執行を迅速化することにある。加えて、「絶対的権力は絶対に堕落する」という歴史の教訓に学び、政権交代（つまり権力の大掃除）が起こりやすい制度でもある。つまり、民意がわずかに移動しただけで簡単に政変が起きる制度である。このメカニズムは、参院選1人区を利用してねじれ国会を実現する場合も全く同じである。

いま、自民党長期政権の下で、権力の一元化と私物化が露骨に進行している。それに対して、国民の中の2割ほどの熱烈な「信者」のごとき政権支持者は別にして、国

■「人心一新」は野党共闘の立派な大義である

民の多数がしらけ、政治に倦んでいることは各種世論調査で明らかである。

過去の国政選挙でも、与野党それぞれの合計得票はいずれも40％台で大差はない。しかし、野党が分裂しているために、上述のような選挙制度に助けられて、自・公与党は、40％台の得票で70％台の議席を得て、絶対的権力を享受してきた。

そこで「野党共闘」を提案すると、必ず「政策の一致が必要だ」という声が上がってくる。しかし、社会が複雑になり財政が逼迫（ひっぱく）した現状において、与党内においても初めから政策が一致していることなどない。政策は、議会での討論を経て詰めていくものである。

その点で、「人心一新」が総選挙の際の統一の旗になることを忘れないでほしい。「もうこの政権の顔触れには飽き飽きした」という民意も正当な民意である。

だから、野党は、「人心一新」で選挙共闘を組み、まずは政権交代を図るべきである。

■「野党間予備選挙」は政権交代につながらない

国政選挙の1人区について、野党の有力者たちが、一見「野党共闘」に前向きな姿勢を示しながら、異口同音に、1人区における野党候補だけによる「予備選挙」を提案することがある。

しかし、私には「既視感」がある。かつて、当時の民主党の幹部が私に言っていた。「野党だけの予備選挙をすれば、1人区の候補者はわが党に絞られる」と。実に「身も蓋もない」露骨な話である。つまりそれは、「野党間で予備選挙をした結果なのだから、他の野党は全てわが党の候補者を支援しろ」、または「せめて他の野党が候補を出さないでくれれば、わが党の候補者が当選する確率が高まる」という主張であった。

しかし、それでは、鉄の団結を誇る自公与党連合の組織選挙に勝てる保証はない。もちろん、旧民主党の選挙に強い有力者は確実に再選されるだろうが、大多数の拮抗(きっこう)区では全力で戦う自公に野党は競り負けてしまい、だから、政権交代などは起こらないのだ。

権力を私物化して平然と嘘をついて恥じない一強政権に、国民はもはや「うんざり」しているように見える。しかも、過去の選挙統計でも全与党と全野党の得票は40%台で拮抗している。それが、選挙制度（1人区）のトリックで与党が70%台の議席を得て「絶対権力」化しているにすぎない。

だから、全野党が一致協力して全力で戦えば、野党側が多くの区で競り勝って、40%台の得票で70%台の議席を奪取して劇的な政権交代が起こるはずである。

そのためには、「共産党を含む全野党」が比例票の実績に応じて1人区を公平に配分して、その上で全選挙区で全野党が一丸となって全力で運動することが不可欠である。この点を自公の実績から皆が学ぶべきである。

にもかかわらず、「似非（えせ）」予備選挙方式では、野党のままでも議員でありさえすれば満足だと考えているとしか思えない旧民主党の有力な「専業野党」議員たちだけは延命されるが、政権交代は起きようがない。

有権者は、自民党の世襲議員とは違った形で議席を私物化して恥じない野党幹部の発言の裏にある私利私欲にも騙（だま）されてはならない。

■「改憲論に野党も代案を」という落とし穴

憲法改正論議について、時々、自民党側から、「自民党案に対して野党も代案を出して、おおいに議論を戦わせよう」という提案が行われる。

しかしそれは、「野党は、実際には多数の力で審議されることもない代案を持って、抵抗せずに、自民党案を審議する席に着け」と言っているに等しい。

これまで、特定秘密保護法、新安保法制（戦争法）、共謀罪、カジノ法など、重要な議案について、自民党政権は、野党の対案は事実上無視した上で、スケジュールどおりに数の力で押し切ってきた。もちろん、それは形式的には「民主的」手続きではある。

自民党改憲案は、もはやはっきりしている。つまり、現行の9条1項（戦争の放棄）と2項（戦力の不保持と交戦権の不行使、だから、「必要最小限」の自衛しかできない）を「そのままにして」、新3項（あるいは9条の2）として、「『必要な』自衛の措置をとり、そのために実力組織としての自衛隊を保持する」という案である。

そして、この自民党案だけを国会で審議し、各院の3分の2以上で発議し、それを国民投票にかけることを安倍政権（当時）が計画していたことは明白である。

従って、自民党政権のやり方をすでに十分に承知している野党がいますべきことは、自民党の挑発的な提案に乗せられて、審議されもしない「代案」を考えてみることではない。

いま、野党が全力を傾けて行うべきは次のことである。

（1）上記の自民党案は法論理的に筋が通っていない。つまり、新3項が加わった場合には現行1項、2項は「旧法」として自動的に否定される以上、9条の意味が「そのまま」であるはずがないと明らかにすること。

（2）自民党が目指す、米軍の友軍として自衛隊が世界に展開することは政策として不当である。つまり、海外の戦争に介入して新しい敵をつくり、さらに、国の戦費破産が必至であると証明すること。

野党は、この2つを、いま、主権者国民に知らしめることに全力を尽くすべきである。そして、現9条を正しく運用することこそが代案である。

■いま場違いな「立憲的改憲論」

もう20年以上も前であるが、改憲提案などは夢物語であった頃に、私は、白紙の上に新しい憲法を書く感覚で改憲論を提案していた。その中で、9条については、あの「どうにでも読める」または「難解な」現行9条の文言が、結局、規範力を生まず、政府による恣意的な解釈・運用を許していると気づいた。そこで、もっと明確に、できること（専守防衛）とできないこと（海外派兵）が読み取れるように、9条の文言を明確に「改正」することを提案した。私は、それを「護憲的改憲」と呼んで最近まで一貫して主張してきた。

数年前に枝野幸男（えだのゆきお）代議士（立憲民主党代表）が同様の立場を表明し、今井一（いまいはじめ）氏（「国民投票」に詳しいジャーナリスト）などもその論陣に加わった。最近は、それと同じ観点を「立憲的改憲」と称して、伊勢崎賢治（いせざきけんじ）氏（東京外国語大学教授）らが強く唱道している。

もちろん、それはひとつの正論である。だが、いまの政治情勢の中で、その主張を続けることを、私は、「場違い」「時知らず」だと思うに至り、いまは自らに禁じている。

いまは、改憲が党是である自民党が、衆参各院の3分の2以上の支持を背景に9条の具体的な改憲案を示して政治日程が進行している状況にある。

だから今は、改憲派も護憲派も、向かい合って自説の学説的な正当性を論じ合っている場合ではない。自民党の改憲案の1点に焦点を合わせて、それが是であるか非であるか？　について各自の立場を決め、国民投票に備えるべき時である。

にもかかわらず、自民党と違い、自らの改憲提案を国民投票にかける権限も持たない論者が、代替案を掲げて、自説の正当性を主張し、他の護憲派と学説の違いをとらえて論争している時間とエネルギーの「無駄」が私は惜しいと思う。

いま、喫緊の論点は、これまでは「必要・最小限」の自衛隊による「専守防衛」だから許される……と説明してきた政府自民党が、これからは「必要」ならば「海外派兵」も許される……という改正案を掲げて主権者国民の判断を求めようとしており、これに賛成か反対か？　の1点である。それに答える責任が私たちすべての主権者国民にあるはずだ。

■「旧民主党」の復活にすぎない
これは「新党」の結成ではない

解散・総選挙の噂が立ってから、旧民主党の政治家たちによる再集合の駆け引きが激しくなった。しかし、有権者にとって、この光景には既視感があり、「またか」とウンザリされていることに気づけないほど当の議員たちは合併騒ぎに熱中していた。思えば、かつての民主党は、政権を取る前の公約などはなから無視して、重要な政策上の論点についてまるで学生のような論争を繰り返しながら分裂していった。

それが、3年以上前の「希望の党」騒ぎでは、当時の民進党は、いったん「全会一致」で希望の党への合流を決めた。その時の彼らの「これで小池百合子都知事の人気にあやかって『議員』で居続けられる」と安堵した表情を覚えている人は多いはずだ。その時、彼らが熱心であったはずの政策論争は消えてしまっていた。

ところが、小池党首の「（政策の違いにより）排除します」との発言で事態は一変してしまった。「排除される」と思った議員たちが、「判官びいき」の（弱者に味方する）民意に訴える形で立憲民主党を旗揚げして全滅は免れた。その際にはまた「政策の違い」が強調された。

しかし、その後の今日に至る彼らの離合集散を見ても明らかなように、彼らはいずれも、自分が「議員」であり続けられるならば「政策」も「党名」もどうにでも変えられる者たちだということである。つまり、議員でいることだけが目的の「商売政治屋」である。

今回も、あれだけ政策が違うと競い合っていた2党を中心に、旧民主党の議員たちが、立憲民主党の人気（？）と国民民主党のお金に期待して、とにかく再結集したように見える。

しかも、これで「新党」だとか「政権奪還」などと本気で言っているとしたら、私は彼らの頭を疑ってしまう。もう血迷って自分たちの姿が見えていないのではなかろうか。

権力の私物化が白日の下にさらされてしまった上に、未曾有のコロナ禍に対して政治の責任を果たしていない自公政権に、国民は明らかに倦んでいる。しかし、だからといって、かつて政権運営に失敗して、いま、商売野党に堕して役立たずの旧民主党にも期待のしようがない。これでは国民が不幸すぎる。

■「労働組合」と「政党」の違いをわきまえない連合

かつて希望の党と民進党が合併を模索して失敗した時も、最近、旧立憲民主党と旧国民民主党が対等合併を進めていた時も、また、野党共闘が議論される時も、必ず、そこに連合が当事者然として介在していた。

しかし、私はいつもそれを見て「不可解だ」と思っていた。

それは、政党と労働組合は「異次元」の存在だからである。

政党は、一般に「政治上の主義を同じくする者たちがその主義を実現するために活動する団体」と定義される。これを別の角度から定義すると、「国家権力を掌握し、または国家権力に影響を与え、それにより国民全体の福利の向上を目指す団体」である。

これを具体的に説明すれば次のようになる。公明党は、「創価学会の利益を守る団体」ではなく、「創価学会の教義である『立正安国』の実現こそが全国民の福利の向上につながる……と信じて活動する団体」である。共産党も、「労働者階級の利益のみを目指す団体」ではなく、「弱肉強食の資本主義を超えて、資本の私的独占を許さず、それを公的に管理・運営し利益を配分してこそ国民全体の福利が向上する……と信じて活動する団体」である。

要するに、政党は、それぞれに方法論は異なっていても、すべて、「国民全体の幸福の総体（全体利益）の増進」を目指す団体である。

それに対して、労働組合は、国民の中の一部にすぎない特定企業や特定産業の労働者たちが自分たちの待遇改善という「部分利益」を追求する団体である。業界団体と同じである。

だから、労働組合という「部分利益を追求する団体」が、その組合員が政党という「全体利益の向上を目指す団体」のいずれを支持するか？（つまり、組合員各人の政党支持の自由）に介入してはならない……という原則は、論理的に当然の帰結である。そして、これは最高裁判決も認めている。

以上要するに、労働組合にすぎない連合が、政党間の協議に同席したり、時に、あたかも政党の上部団体のごとき発言をすることは、分をわきまえない振る舞いである。

自民党と各種業界団体（部分利益追求団体）の関係こそが本来のまともな関係である。

■不可解な「共産党抜き野党共闘」の主張

『月刊日本』2018年9月号の中で、「共産党抜きの野党共闘」について正鵠を得た発言が目についた。

まず、元参議院自民党議員会長・村上正邦（むらかみまさくに）氏は「野党は……『共産党とは組めない』とか内輪もめばかりしていますが、本気で政権交代を目指しているならば、そんな甘っちょろいことは言えないはずですよ」と語っている。

さらに、経済学者の植草一秀（うえくさかずひで）氏は「1人しか当選者が出ない選挙で、反自公陣営が複数候補を擁立すれば自公が勝利するのは当たり前だ。『共産党とは共闘しない』とする勢力は『隠れ自公応援団』である疑いが濃厚なのだ」とまで断言している。

確かに、1選挙区で1人しか当選できない「小選挙区制」（知事選、衆議院小選挙区、参議院地方区等）において、常に自公共同推薦候補が立っている以上、野党側は1人の野党統一候補に絞れない限り、もとより勝ち目はない。

過去の選挙の統計では、与党側と野党側の得票の合計はそれぞれ総投票数の40％台で拮抗している。そして、約5割の棄権者がおり、野党統一候補が実現して、その者が魅力的で、野党陣営が一丸となって戦った時に、野党は勝利できている。

小選挙区制は、「相対的」多数派に「絶対的」多数の議席を一時的に与え、政策の決定・執行力を高める制度である。同時に、多数派が傲慢なことをやれば一気に政権交代（浄化）ができる制度である。とはいえ、与野党が1対1の対決でないと自浄装置は機能しない。

森友・加計問題に見るように、歴史上、比類なき自民一強体制の下で、国家の三権分立までが機能不全に陥っていることは明らかで、それに民心が倦んでいることは各種世論調査でも顕著である。

だから、私には、この期に及んで「共産党抜きの野党共闘を」などと言っている人の気が知れない。私がそのような人々に何回その「根拠」を尋ねてもまともな答えが返ってきたためしがない。

この際、野党各党の責任ある人士（じんし）により、「野党共闘に共産党を加えることの是非」というテーマで公開シンポジウムを至急開催することを、提案しておきたい。

■党大会で綱領改定 興味深い日本共産党の挑戦

2020年1月14日から18日まで、日本共産党の第28回大会が開かれ、綱領の改定が行われた。その内容は大変興味深いものだ。

共産党は「暴力」革命政党だと批判されている。それに対して、帝政ロシアを倒したソ連の時代と異なり、日本共産党は一貫して選挙と議会による改革を追求していることを確認した。また、「自衛隊と日米安保条約を認めていない」と言われる。それに対して、共産党は自衛隊と日米安保がいらない世界を目指していることと、いまはそれが許される状況にないことを、率直に認めている。さらに、「天皇制を認めていない」という批判に対しては、明治憲法下で国家の全権を掌握していた天皇と現憲法下の象徴天皇の違いを踏み外すべきではないと主張している。

野党共闘が「野合」であるとの批判には、野党共闘にはすでに立派な共通政策があることを指摘している。①立憲主義、民主主義、平和主義の回復、②格差をただす家計応援の政治、③人権を尊重する政治、である。

共産主義が正しくないという批判にもきちんと答えている。まず、グローバル化した資本主義こそ、貧富の格差と環境の悪化を招いている。それに対して、かつて後進資本主義国で共産主義革命を試みた先例は、人権意識の未確立な時代に小さな資源を管理した官僚による独裁を招いてしまったが、人権意識の確立した豊かな資本主義国である現在の日本では、むしろ共産主義は資本の横暴による不幸を招かない可能性があると指摘している。

そして、日本の現状として、①対米従属と②財界優先の政治を見据えている。日本自体が米国の世界戦略に組み込まれている。その結果、米軍は日本の法令を無視して行動し、武器を爆買いさせられ、農産物市場も開放させられ食の安全まで脅かされている。また、政・官・財の癒着の下で、大企業と高額所得者を優遇する税制に加え、庶民には広く消費税が課され、労働法制の改悪と福祉の切り下げで、国民は貧困にあえいでいる。

以上の認識の下に、無限の欲望の凶暴化を止め得ない資本主義が高度化した今日の日本で、共産党は、選挙と議会による共産主義革命にあえて挑戦しようとしている。楽しみである。

第5章

「自衛隊加憲論」は間違いと危険性に満ちている

——「平和主義」を破壊する勢力の嘘に騙されるな——

「自衛隊加憲論」に潜む7つの意味と国民の向き合い方

■その① 安倍提案が実現すれば「9条のない国」になる

2017年5月3日（憲法記念日）に突然、安倍首相（当時）が、現行憲法9条に「自衛隊」の文言を加えるだけの改憲を提案した。

その後、同年10月の総選挙で安倍政権が大勝し、その結果、2019年の参議院半数改選まで、安倍政権は、衆参両院で3分の2以上の改憲賛成派に支えられることになった。

憲法改正を安倍代議士が自身の政治家としての使命だと考えていることは明白で、それは自民党の党是でもある。

もちろん、本来の自民党案は、すでに2012年に公表されているが、それは9条2項を改正して、新たに「国防軍」と（国際法上の完全な）「自衛権」、つまり必要に応じて海外派兵もできる権能を明記するとしている。

しかし、いまの自民党は、それとは違った提案をしている。いわく、「現行の1項

2項は一字も削らず」新項で単に「自衛隊」の文言を加えることで、自衛隊が憲法9条2項で禁じる「戦力」に当たるか否か？　の論争を解消するだけである。加えて、安倍首相（当時）は、「専守防衛の原則は変わらない」「先に日程ありきではない」とたびたび、明言している。

しかし、2015年に強行採決で制定された戦争法（平和安保法？）の際も、安倍首相（当時）は、「日程ありきではない」と言いながら、結果的には日程どおりに強行採決した。さらに、「わが国の安全保障に重要な影響があると思われる『重要影響事態』には海外派兵ができる」法律を制定しながら、その後も、「専守防衛の原則は不変」だ（？？？）と平然と言い切ってきた。

だから、改憲賛成派は別として、自ら護憲派だと考えている人々は、いま、真剣に理論武装しておかないと、今度こそ本当に取り返しのつかない事態を招くことになろう。

つまり、安倍代議士の提案が実現した場合、少なくとも次の憲法状況が実現することになる。①9条新3項（9条の2）に明記された「自衛隊」は、現行2項で禁じられている「陸海空軍その他の戦力」の明文例外として合憲な存在になる。さらに、②わが国は、現行の憲法9条2項が明文で禁じているにもかかわらず「戦争法」が認めてしまった違憲な「交戦権」を自衛隊が堂々と「海外で」事実上行使できる、つまり「戦争」ができる普通の軍事大国になってしまう。9条のない国である。

■その② 前提としての9条の「原意」を確認すべきだ

私は、40年近くも改憲論議に参加してきたが、そこには不幸な大前提が横たわっている。それは、現行の9条に関する理解が論者によりさまざまで、それでいて、お互いに意見の違う者との論争を回避しながら、「違った」前提から相手を批判し合っていることである。だから、議論は深まっておらず生産的でない。にもかかわらず、お互いに反対意見に対する敵意だけは高まっており、お互いに目も合わせない関係になってしまった。

つまり、戦争と平和、すなわち、日本国の独立と国民の生命、財産、名誉に関わる国家の基本問題について、実は議論自体が成立していないのである。こんな不幸なことはない。そのような状況の中で、いま、選挙制度と自公選挙協力を活用して議席の上では「絶対」政権を確立した自民党が、言葉のトリックを用いて、憲法9条を死文化しようとしている。こんな危険な状況はない。

だから、いま、すべての前提として9条の原意を皆で確認しておくべきである。

まず、「戦争と平和」の問題は、法の分野で言えば、国際法の領域であり憲法ではない。しかし、その戦争に参加する国家機関は自国の憲法に制約される関係にある。

そこで、第1項は、「国際紛争を解決する手段としての戦争」を放棄しているが、これは、１９２８年のパリ不戦条約以来の国際法の慣用句として、「侵略戦争」のみの放棄を意味する。

そして2項は、まず、「陸海空軍その他の戦力」の不保持を国に命じているが、それは、国際法上の戦争を担当する国家機関としての「軍隊の類い」をいかなる名称であれ持ってはならない……と国に命じているのである。加えて、国際法上の戦争を遂行する法的資格である「交戦権」の行使も禁じられている。

従って、9条は、わが国に対して、他国に対する侵略戦争を禁じ、さらに自衛のためでも国際法上の戦争に訴えることはできないとしている。だから、戦争に不可欠な軍法会議の設置も76条2項で禁じられている。

つまり、わが国は、自衛が必要な場合でも海外派兵が不可欠な「戦争」はその手段として許されていないのである。

■その③　真の論点は「海外派兵」の是非だ

憲法9条をめぐる改憲派と護憲派の真の争点は条文（解釈や改正）の問題ではなく、その前提問題としての国際政治の現状の中で、わが国はどのような安全保障政策を採るべきか？　である。つまり、わが国の独立と国民の人権を守るために、必要とあれば「海外派兵」を許すか or「専守防衛」に徹すべきか？　について、各人は立場を決めてからこの議論に参加すべきなのである。

にもかかわらず、核・ミサイルの実験と試射を繰り返しながら威嚇してくる北朝鮮と、尖閣諸島を要求しながら領海侵犯を繰り返している中国……という現実に対して、極端な護憲派はいまでも「自衛隊は違憲だから許されない」などと言う。それに対して改憲派が「現実の脅威にどう対応するのか？」と問うても、平然と「平和外交」などと答えて、せせら笑われてしまう。しかし、それでもめげずに護憲派は「正しいことは強いのだ」などと言い合ってうなずき合っている。これでは世論の多数派を形成できるはずがない。

しかし、対する改憲主流派も、「だから、日米同盟を強化することが必要だ」と主張し、米軍の二軍化を肯定し、米国の言い値で武器を購入することにも賛成する。

しかし、現実の問題として、1000年の歴史的背景がある十字軍戦争にわが国がキリスト教側の領袖（りょうしゅう）である米軍の二軍として参戦し、新たにイスラム教圏の人々を敵に回すことが、果たして、政策として賢明であろうか？　また、米国の言い値で武器を購入し、軍費破産に陥ることが賢明であろうか？

真にわが国の防衛を固めたいと考えるなら、「専守防衛」こそが賢明な政策であることは自明である。わが国の有する高度の経済力、技術力、人間力を自衛に集中し、他国間の軍事紛争に介入しないことは、最も安全、安価で、合理的であろう。もちろん日米同盟は大切であるが、同盟であり隷属でない以上、80余の米軍基地を受け入れ、その費用を負担していることで十分ではないか。

加えて、わが国は、国連第2のスポンサーかつ唯一の非戦の大国として、国際紛争の平和的解決に向けて、外交的にいま以上に大きな発言力を行使できるはずである。

その④　自衛隊の合憲性を見直すべきだ

安倍前首相に賛成する論客たちは、日夜わが国と国民を守ってくれている自衛隊を憲法学者の過半数がいまでも違憲だと言っている状況は失礼で、それを改善するために憲法の中に「自衛隊」と明記してその疑義を払拭する……と主張する。

しかし、その発想は話の筋がずれている。

まず、自衛隊法、防衛省設置法等を提案した政府も、それらを制定した国会も、それらを施行して自衛隊を運用している政府も、それらの構成員は皆、公務員である。だから彼らは憲法99条により「憲法尊重擁護義務」を負っている。つまり、彼らが自衛隊は「違憲」だと考えてそれを組織・運用しているはずはない。彼らは、自衛隊を合憲だと説明する解釈（理論的根拠）を当然に持っている。

それは、わかりやすく言えば次のようなものである。まず、①1項は「国際紛争を解決する手段としての戦争」、つまり、国際法の慣用句としての「侵略戦争のみ」を放棄している。しかも、②独立主権国家である日本は、国際法上、（条文上の根拠のいらない）自然権としての自衛権は有している。さらに、日本も加盟している国連憲章51条はそれを確認している。しかし、③9条2項が「陸海空軍その他の戦力」（つまり国際法上の戦争の手段）の保持と「交戦権」（同じく戦争遂行の法的資格）の行使を禁じている。だから、海外での戦争に踏み込まざるを得ない集団的自衛権の「行使」（同盟国を助けに行くこと）は許されない（海外派兵の禁止）。とはいえ、④外敵が日本に侵入してきた場合には、それは、戦争ではなく、行政権の一環としての警察権（国内における危険除去の権能）の行使で対応できるので、第二警察（警察予備隊→自衛隊）をつくって対処する仕組みを設立・運用してきた。

これが政府の一貫した立場であった以上、まず政府がすべきことは、この合憲性の説明による主権者国民の啓蒙であろう。

それをせずに、あの戦争法制の際には「神学論争」だとバカにして無視した「憲法学者」多数派の主張を、今回は「敵役」として利用するようなことは、ご都合主義以外の何ものでもない。

権力は常に公正であるべきだ。

その⑤「姑息な改憲」には反対で一致すべきだ

すでに明らかになったように、安倍前首相が考えている9条に新項を設けて自衛隊を合憲化しようという提案は、いわば邪道である。

つまり、まず、①「現行の9条1項・2項は一切変えない」と言うが、3項（9条の2）（新法）を加えることにより、9条（旧法）の本来の意味（専守防衛）を確定的に変更してしまうものである。さらに、②その結果、わが国は政府が「必要」と判断すれば自由に海外派兵ができて米軍の二軍のように振る舞えるようになる。しかしそれは、むしろわが国の戸締まりをおろそかにし、新たにイスラム圏に敵をつくり、戦費破産をもたらす、政策として愚策である。

対する護憲派は、相変わらずまとまっていない。最悪なグループは、①「改憲論議に巻き込まれてはいけない」と議論そのものから「逃げて」いる。また、②あるグループは、一般論として憲法の改「正」は許されるとしても、いまごろになってそれぞれ独自の改憲案を提案し始めている。しかし、いま、政権が仕掛けている改憲提案は、現実の政争であり、学術論争ではない。にもかかわらず、国会内の少数派で議題を採用させる力もないグループが、いま、議場や論壇で「護憲的改憲論」を提案してみても単なるエネルギーの無駄であろう。むしろ、③いま、野党が精力を集中すべきは、自民党改憲案の批判的分析と、その成果をもって国民投票に向けて有権者を啓蒙する ことである。憲法改正国民投票は、野党各党が基本的には対立せざるを得ない、「議席」という限りある利権を争う選挙ではない。それは具体的には、安倍提案に対する賛否の「二者択一」の競争である。

このトリックのような提案を受けて、一回でも改憲を許してしまえば、一度騙せた国民は「与しやすい」とばかりに、次は、自民党の「憲法」観を前面に出した壊憲案が堂々と提案されてくるだろう。その自民党の憲法観は、同党の(2012年)改憲草案102条に端的に示されている。それは、権力者が憲法「擁護」者として、憲法「尊重」義務を負う国民大衆を管理する体制である。それは、権力者だけが法から自由な中世絶対主義国家か北朝鮮のような国になることである。

その⑥ 支離滅裂な自民党! 新「憲法9条の二」案

報道によれば、自民党の憲法9条改正案(新9条の二)の骨子は次のようなものだそうである。

①自衛隊の最高指揮官は首相である(文民統制)②自衛隊を国会の統制下に置く(武力行使には国会の承認がいる。これも文民統制)③自衛隊は内閣から独立した特別な「軍隊」ではない(行政権の一環である。これも文民統制)。

しかし、これは一見して支離滅裂である。

まず、「首相が自衛隊の最高指揮官である」という規定は、諸外国では特に「軍隊」についてだけ明記するものである。警察、消防など、危険から社会を守る実力部隊は、行政権の一環である警察権として、憲法上（65条）、首相の管理下にあることは自明で、それを憲法に改めて明記する必要はない。諸外国では、それを明記するのは「戦争」を担う「軍隊」だけである。にもかかわらず、自衛隊を「軍隊」ではないと改めて断るところが怪しい。

また、「自衛隊を国会の統制下に置く」というが、まず、国家機関が全て主権者国民の代表である国会が制定した法律と予算に従うのは当然のことで、改めて憲法に明記するまでもない。そこで、自衛隊の武力行使は国会の承認を得て行う……というが、「専守防衛」を任務とする自衛隊は外敵から攻撃を受けてから反撃するだけの役割のはずだが、その反撃のために国会の承認を得る手続きを経ていたのでは、その間に国が滅んでしまうのではなかろうか。

しかも、自民党の緊急事態条項案では、そのような緊急事態には首相が全権を掌握して国会は休眠状態になるはずだ。自民党はこの矛盾をどうするのであろうか。

要するに、自民党の根本的矛盾は、敗戦国として「軍隊」の再興を認めない現行の9条2項を「そのままにして」と言いながら、新「9条の二」で自衛隊という名の「軍隊」を事実上再興しようとしているところにある。

だからこの際、自民党は正直に、公式の（２０１２年）草案どおりに、「国防軍」

を保有して「自衛権（交戦権）」を行使する普通の国家になるべきだ……という持論を掲げて、主権者国民に問題を提起すべきではなかろうか。いまのように本当の論点を避けた議論を続けることは、政治の不誠実の極みであろう。

その⑦ 本音が見えた自民党の新憲法9条！ これは実質的な2項削除だ

森友スキャンダルの再炎上で先行き不透明になってきた安倍改憲であったが、それでも、2018年3月25日の自民党大会を前にして、ようやく改憲論の本音が見えてきた。

高等教育の充実、参院選挙区合区の解消、緊急時の内閣権限の強化は、もともと「ダミー」のようなものですでに完全に論破されている。

しかし、9条こそが自民党改憲論の本命で、それは日本国憲法の本質に関わる問題で、私たちは、主権者として真剣に向かい合わなければならないはずである。

安倍首相（当時）も自民党の憲法問題の責任者も、常々、平和主義、専守防衛の原則と、現行の9条1項2項は不変である……と明言している。

しかし、報道によれば、自民党の最終案は「必要な自衛のための実力としての自衛隊を保持する」旨の新項を加憲するもののようである。それは、明らかに現行の2項を否定するものである。

政府の解釈によれば、9条1項は「国際紛争を解決する手段としての戦争」（つまり国際法の慣用句としての「侵略戦争」）を放棄しているが、国家の自然権としての「自衛権」は放棄しておらず、それは国連憲章51条も認めている。しかし、2項が、自衛戦争に不可欠な軍隊と交戦権を禁じているために、わが国は、自衛のためであっても海外に戦争には行けない。だから、万一、わが国が侵略を受けた場合に、自国領域と周辺だけを戦場にして敵を排除する（専守防衛）ための「必要・最小限」の実力としての自衛隊だけは、9条2項が禁じる「戦力」ではない……として許される。

ところが、2014年の閣議決定で、わが国を守るために不可欠（つまり必要）だと政府が認定した例外的な場合には海外派兵が許される……と政府見解が変更された。しかし、それでは、政府が「必要」だと主張したら「最小限」という制限が無視されることになる……として、今日に至るまで違憲論争が続いている。

そこで一気に、「最小限」を削って「必要性」だけを自衛隊の根拠として3項（新法9条の2）に明記したら、それは自動的に2項（旧法）を改廃することになる。まるで火事場泥棒のような自民党改憲案である。内容も手続きも乱暴だ。

第6章

主権者として知っておくべき憲法基礎知識19

――憲法の「改悪」をさせないために――

■その①「国民投票はやってくる」と覚悟すべきだ

2018年10月22日の総選挙は、自民党の圧勝で終わった。もちろんそれは、小選挙区制度の下で自公の選挙協力の結果、5割に満たない得票で7割以上の議席を与党が獲得したにすぎないのだが、その制度を承知していながら四分五裂して負けた野党の負けは負けである。

「自分ファースト」解散などと呼ばれながらも、「負けが最も少ない」と計算して解散を断行した安倍首相（当時）は、敵失による勝利に戸惑いながらも、改めて、国政選挙に5連勝した自分の「天命」を自覚したはずである。つまり、岸信介元首相の孫であることを強く意識してきた首相は、改憲は自らの使命だと自覚した発言を改めて繰り返している。

そして、その先の2年弱は改憲発議を行い得る議席数を従えたわけで、安倍首相（当時）が改憲を具体的政治日程に乗せないはずがないと思われた。だから、翌年の憲法記念日かその翌年の参院半数改選に合わせて改憲のための国民投票が実施される……と考えないほうが不自然であった。

とはいえ、首相（当時）の側も不安であっただろう。

それは、第1に、改憲の発議権は国会多数派のものであろうとも、その可否を最終的に決定するのは国民投票だということである。いかにいつものように「問答無用」で国会を押し切ったとしても、国民の直接投票で過半数を得られなければ、その改憲案は葬り去られてしまうのである。

しかも第2に、これまでに自民党が提案してきた改憲案が、私を含む多数の専門家から、本質的に欠陥があるとして批判にさらされ、自民党がそれに答え得ていない……という事実がある。だから、安倍首相（当時）が念願の改憲発議をなし得たとしても、それが広く公論にかけられた結果、否決される可能性は高かった。だから、いま、自民党は、最初に提案する改憲の項目とその理由付けに真剣に悩んでいるはずである。

もちろん、自民党の御用評論家らは一方的に都合のよい話を自民党の耳に伝え続けている。しかし、それが公論に耐え得ないことはすでに証明されている。だから、彼らは、意見の異なる者との討論は逃げるように避けている。

そこで、これから、真の決定権者である主権者のための世界の憲法常識を、改憲論議に対応する形で順次解説していきたい。

■その② わが国では「憲法が何であるか」の共通認識が確立されていない

不思議なことに、わが国は世界の最先端の文明国のひとつで民主主義国だと自認しているにもかかわらず、いまわが国では、「憲法」が何であるか？ について共通の理解・常識が確立されていないように見える。

言うまでもないことであるが、憲法とは、国民大衆の幸福を増進するためのサービス機関である国家の権力を一時的に預かる政治家以下の公務員が、その権力を乱用しないように、主権者国民の最高意思として「権力者に枠をはめる規範」である。

つまり、古来、「神の子孫」を自称（詐称）していた国王とその親戚筋の貴族は法から自由であった。それが、近代市民革命により、神の子孫ではない本来的に不完全な人間たちが権力を預かることになったために、「憲法」という新しい法領域が創設されたのである。

それは、18世紀のアメリカ独立戦争とフランス人民革命以来、世界に伝播していった。その後、流血の革命を避けながら王権を国民に移行するために、過渡期の立憲君主制（例えば明治憲法）を採用した国もある。しかし、それは本来の意味の憲法ではない。

ところが、わが国の改憲論者の中には明治憲法を理想とする者が多く、彼らは憲法とは「国柄を示すもの」だと主張している。その結果、日本は天皇をいただく神の国で靖国神社公式参拝は政教分離に反しない、日本人なら日の丸を敬え、家族は仲良くすべきだ……と憲法に明記せよなどという主張が出てくる。しかし、これらは各人の価値判断に国家が介入しようとする主張で、それでは各人の人格的自律（人権の本質）が害されてしまう。

そして、そのような発想の致命的な欠陥は、何よりも、「国民の良心を規律する憲法」という主張であり、その効果として、強大な権力を預かっている政治家以下の公務員が、まず法から自由になり、その上で、憲法の執行者として、国民大衆を管理する立場になってしまうことである。

だから、自民党の改憲草案１０２条は、国民大衆に憲法を「尊重」しろと命じた上で、政治家以下の公務員には憲法を「擁護」せよと託している。つまり、国民が憲法を尊重するように権力者が管理する体制である。

改憲に前向きだという点では、もはや衆参各院の3分の2以上が同じ方向を向いている。しかし、第一番に改憲する項目について意見の一致を見ているわけではない。

9条はそのままで「自衛隊」の存在を明記する案、緊急事態条項を新設する案、高等教育まで無償化する案、知る権利などの新しい人権を加憲する案、参議院改革（選挙区の合区を解消するために参議院は「地方代表院」だと規定する案）、地方分権を強化する案、解散権の行使を制限する案などが、いま、議論の対象になっている。

議論の主導権を握っている安倍代議士の本心は、「軍隊」の保持と「交戦権」の行使を禁じ、わが国を国際法上の「戦争」ができない国にしている9条2項を改正して、「国軍」と「自衛権」を明記して、日本を「普通の軍事大国」にすることのはずである。

しかし、現実には、そんな案が国民投票で承認される保証はない。それで失敗すれば政権は崩壊してしまう。

■その③「9条に自衛隊を加憲」は大きなトリックだ

そこで、自民党の次善の策は何であれ、この「押し付けられた」不当な日本国憲法に「改憲」で一矢報いることである。そうなると今度は、どれが世論が「受け入れやすい」改憲のテーマか？　という話になる。

２０１７年の5月3日（憲法記念日）に唐突に、現行9条から何も削らずに、単に新条項を加えて「自衛隊」の存在を明記（加憲）する案が出てきた。これは、よく考えられた案である。

つまり、あの3・11大震災での自衛隊員たちの献身を見た国民の8割はいまのあの自衛隊に好感を持っている……という報告があった。だから、「あの自衛隊が憲法学者の過半数から『違憲』と呼ばれている失礼を正そう」という提案は一定の説得力を持つ。

しかし、それは大きなトリックである。つまり、何よりも、自衛隊の本質は諸国の「軍隊」と同じである。「災害救助隊」ならば、その所属は総務省消防庁であり、防衛省ではない。自衛隊の本務は「戦争」の遂行で、そのために、壊滅した地域に進駐する能力もあり、それが3・11では転用されただけである。

だから、次に、軍事力の問題として9条をめぐる議論を分析したい。

■その④　自衛隊を明記すれば「国軍」の創設になる

9条に自衛隊を明記する「だけ」という加憲論を分析的に解説してみたい。まず、議論の前提として、政府自民党の伝統的な9条に関する有権解釈を確認しておきたい。それは次のとおりである。

①1項は「国際紛争を解決する手段としての戦争を放棄」しているが、それは、国際法の確立された法意として「侵略戦争のみの放棄」である。従って自衛は許される。

②しかし2項で、「軍隊」の保持と「交戦権」の行使（つまり国際法上の戦争の道具と資格）を自らに禁じているため、海外に戦争しに行くことはできない（海外派兵の禁止）。

③だから、国連憲章51条上、わが国も（個別的および集団的）自衛権は「有して」いるが、海外へ同盟国を助けに行く集団的自衛権は「行使」できない。

④しかし、他国がわが国に攻め込んできたら、第二警察（警察予備隊）である自衛隊で個別的自衛権により国内から排除すること（専守防衛）は合憲である。

だから、政府自身がこのように自衛隊を合憲とする解釈を確立し、その上で自衛隊法、防衛省設置法などを制定し、自衛隊を組織・運用してきている。しかも、現に警察も海上保安庁も憲法典の中に明記されてはいない。つまり、それらは法律に明記すれば設置できる「法律事項」であり、憲法に明記しなければならない「憲法事項」ではないからである。

さらに、2015年にあの「戦争法」を強行採決で成立させた当時、憲法学者の98%があれは違憲だと言っていたにもかかわらず、それを「神学論争」と呼んで「無視」した政府が、いまになって急に、「憲法学者の多くが自衛隊を違憲だと言っているからそれを正すために憲法に書き込む」と言い出すのも不可解である。

それに、あの戦争法（平和安全保障法制?）が制定された際に、政府は『今後は、わが国の安全保障に重大な影響を及ぼす『重要影響事態』と政府が認定した場合には海外派兵ができる」と強引に9条の解釈も変更したが、それで「平和憲法」は死んだに等しい。だから、その上で自衛隊を憲法に明記したら、それは「自衛隊」という名の「国軍」の創設（追認）である。

つまり、これは普通の軍事大国になるための方便（うその類い）に等しい。

■その⑤　9条改憲論が不要であるこれだけの理由

戦後のわが国の安全保障論は、第2次世界大戦の「加害者」（敗戦国）という立場と、世界最強の駐留米軍によって守られた安全の下で、憲法9条（非武装）という空想的平和主義を掲げて始まってしまった。

そのために、東西（米ソ）冷戦の危険地帯に存在する西側の最前線の国家として、日米安保条約と精鋭自衛隊の「重装備」に守られながら9条という無理を弄ぶ（もてあそぶ）ような議論を重ねてきた。

そこで、ここでは、9条は「存在しない」という前提で、現実の国際情勢の中でわが国の独立を守るにはどうしたらよいのか？　を考え、その上で現行9条の是非を論じることを試みたい。

まず、現実に核ミサイルでわが国を威嚇する北朝鮮と、軍拡を続けながら尖閣諸島を要求し続けている中国から、どうやってわが国を守るか？　の問題に答えられない政策論は無責任である。その点で、北朝鮮の目的が戦争ではなく自国のあの体制の存続を認めさせることにある点を見落としてはならない。

また、あの中国は、非武装であったチベットは容易に侵略したが、専守防衛に徹した台湾とベトナムには侵攻を試みながらも失敗した……という事実も見落としてはならない。さらに、中東を中心に泥沼化している軍事紛争は古く「十字軍」戦争に根がある……という事実も重要である。

以上の事実から、答えは明白であろう。まず、米軍と付き合って海外派兵を始めることは、本来はわが国とは無関係なキリスト教とイスラム教の歴史的紛争に介入し、新しい敵をつくることで、経済的にも大きすぎる負担を背負い込むことになろう。そして、北朝鮮と中国に対しては、わが国の高い技術力と経済力に裏付けられた専守防衛に徹することこそが有効である。

となると、９条論の結論も明白であろう。１項に明記された「侵略戦争」の放棄は正論である。２項で「軍隊」と「交戦権」を否認して海外派兵ができない国であることも正解である。そして、行政権の一環として当然に合憲である第二「警察」としての自衛隊を整備し、日米安保で米軍基地費用を負担してわが国の防衛を補強する旧来の政策も正解である。だから９条改憲は不要である。

■その⑥　有害無益な「緊急事態条項」のまやかし

あの３・11東日本大震災が起こった際に、自民党長老から、「これで、緊急事態条項を改憲の突破口にできる」旨の電話を受けた。

しかし、自民党が掲げている緊急事態条項案の内容は、有害無益以外の何ものでもない。

日弁連が大震災の体験からまとめた報告書によれば、何よりも、現行の災害対策基本法などを改正して、大災害が発生した場合には現場の自治体の首長（市町村長と知事）に権限を集中して即時対応ができる仕組みをつくることこそが急務である。

ところが、自民党の提案では、まず、首相が緊急事態を宣言すると、その効果として、首相は、行政権に加えて、国会から立法権と財政権を奪い、だから間接的に司法権も従え、地方自治体に対する命令権まで併有することになる。そして、私たち国民は公の命令に従う義務を負わされる。私たちが未体験な首相独裁体制の出現である。

法治国家にあっては、国、地方に限らず、あらゆる権力は、法律、条例および予算に反して執行することはできない。しかし、震災時の体験によれば、現場の自治体は、法律と予算の枠にかかわらず、現に有する全資源を駆使して、人道的見地から「すべき」ことを即実行することが最善である。でないと、刻一刻と人が死んでいく。だから、震災時には現場の首長に広い裁量権を与える法制度こそが必要なのである。そして、国の役割は、自治体の首長の努力を人的、物的、財政的にバックアップすることである。

にもかかわらず、国家全体を一元的な首相独裁体制にすることなど、災害対策としては全く必要がない。にもかかわらずそのような体制が必要な事例はただひとつ、わが国から他国に戦争を仕掛ける場合だけであろう。２０１２年の９条改憲案（国防軍と〈個別的および集団的〉自衛権の明記）と合わせて考えると、自民党の改憲案は実にきな臭くて物騒である。

それに、首相が全権を掌握しておきながら、「国会の不在を回避する」と称して現職の議員の任期を自動延長させる規定などは、現職の政治家の失業保障以外の何ものでもない。ふざけないでほしい。

▒その⑦　高等教育の無償化を主張する勘違い

高等教育までの無償化を「憲法に書き込む」などという非常識なことを最初に主張

したのは大阪維新の会であったと記憶しているが、変な話である。

まず、かつて民主党政権下で「法律と予算」を作って始めた高等教育無償化を、政権奪還後の自民党が同じ方法で潰したではないか。つまり、これは、法律で改変できる「法律事項」であり、８００億円もの国費を浪費して憲法に書き込むべき「憲法事項」ではない。これは法学の基礎知識である。

それに、本質論として、全ての青年が高等教育に進学する意向も必要もないはずである。日本の文明を支えてきたさまざまな職人や匠の世界は必ずしも大学という研究・教育機関に馴染むものではない。人生にはさまざまな選択肢があってよいはずだ。

さらに、高等教育の無償化という話は、一見、低所得層に優しいことのように見えるが、実はそうではない。つまり、無償化の恩恵は高所得層も一律に受けることになる。となると、高所得層は、無償化で浮いた費用で、さらに生活を豊かにすることができる。これでは格差の固定化である。

しかし、高等教育に国が支出する資金は、福祉国家の理念からすれば、本来は、優秀だが貧しい学生に集中的に投資されるべきものであろう。それでこそ、自由と民主主義の前提である平等（格差からの解放）が達成されるはずである。

そういう意味で、無駄な改憲国民投票に浪費する国費があるならば、それで大学生の給費奨学金を増やすべきである。これは文字どおりいま、「急務」であろう。「新自由主義」などという聞こえのよいだけの「経済の弱肉強食」で格差を広げ、青年の学費ローン地獄などという社会現象を生み出した政権が、無教養な一野党（ゆ党？）の歓心を買うために、総選挙の公約に高等教育無償化のための改憲を加えるなどということは、政治の低能化の証しのひとつだと言えよう。

このように、高等教育無償化が改憲の論点でないことは、すでに何回も公に指摘されている。にもかかわらず、相変わらずこれが提言として掲げられ続けていることは、政権が聞く耳を持たない傲慢なものに変質してしまった証しでもあるのだろう。

議論によって進歩できない政治ほど空しいものはない。

その⑧　参議院改革の必要はあるが、自民党案は「改悪」だ

参議院の改革も、改憲のテーマとしてしばしば登場する。それは2つに大別される。まず、事実上、衆議院のコピーと化している現状の参議院は国費と時間の無駄であるから廃止せよ……という提案である。次は、二院制の意義として、衆議院が人口の代表であるのは当然として、参議院は「地方」代表院だと憲法に明記して、二院制を有

効に機能させよう……という提案である。

後者は、各都道府県を対等に扱う考えであるから、参議院の選挙区選挙は人口差に関係なく都道府県単位で行われることになる以上、当然にあの不評の「合区」は解消されることになる。

ところで、参議院が衆議院のコピー化してしまうのは自然である。なぜならば、両院の合意がなければ原則として法律が成立しない制度になっている以上、与党は両院の過半数の議席を得ようとするし、それは容易なことである。

加えて、結社の自由の効果としての内部統制権がある以上、各党が党議拘束をかけることも当然である。

その結果、衆議院で可決された法案が参議院に回付されても、参議院で同じ議論が繰り返され、同じ結論に至ることになる。だから、確かに参議院は国費と時間の無駄である。ここでは、参議院は、よく言われる衆議院とは違った観点での「再考の府」としては機能してはいない。

二院制を真に有効に機能させようとするならば、各院に別々の背景と機能を与えなければならない。つまり、衆議院を人口比例の代表、参議院を各地方の代表とし、さらに、参議院議員には閣僚になる資格を与えなければ、衆議院議員中心の与党幹部の顔色をうかがわない議員たちの院にすることができる。

これは、アメリカの二院制を参考にした、それなりに説得力のある提案である。しかし、これが近い将来、改憲の課題になることはないと思われる。

それは、第1に、日本の都道府県は、アメリカの各州がもともと独立した国家であるのに比して、歴史的にそれほど強い独立性を有するものではない。そして、第2に、いま、この問題を熱心に主張する者は、合区で被害を受けたと思っている政治家くらいである。だから、これがまともに改憲の争点になることはないであろう。

その⑨「新しい人権」の加憲が発案された背景

「新しい人権」と呼ばれるものには、プライバシーの権利、環境権、知る権利などがある。これらの権利は日本国憲法の条文の中に表記されてはいない。それに対する最高裁判例の対応もほとんどはっきりしていない。

しかし、これらの権利を人権として認めることは比較憲法学の常識で、それを憲法典や最高裁判例で認める国も増えている。

確かに、自分が公開を望まない私事（プライバシー）を暴露されてうれしい者はいない。また誰でも、人間として良好な環境で暮らすことを他者により害されたくはない（環境権）。さらに、主権者として行政情報を知ることは国民の権利（知る権利）であるはずだ。だから、これらの法益は各人の「人格的生存に不可欠な権利」（つまり人権）であると言える。

そこで、これらの人権を新しく憲法典に明記することが、少なくとも30年以上前から提案されていた。

ただ、その動機はあまり褒められたものではない。つまり、いわゆる「お試し改憲」の題材としてであった。

歴史的事実として、改憲派の主な狙いは、9条を改憲して、国軍と交戦権を有する普通の独立国家になることである。

だが、現実に9条を改憲することが、国民投票で過半数の賛成を得られるほどの支持を得ていないことは明白であった。だから、まず主権者国民の改憲に対するアレルギーを除去するために、「お試し改憲」が発案された。そして、そのためには、国民が最も反発しにくい新しい人権の加憲（つまり人権の補強）が最良である……と考えられた。

しかし、改憲国民投票の最初の対象として「新しい人権」の加憲が発議されてくる可能性は低いと思われる。その理由は2つある。まず、プライバシー権は13条の「幸福追求権」に、環境権は25条の「健康な生存権」に、知る権利は1条の国民主権の中に、それぞれ読み取ることができる。さらに、動機が怪しまれて否決される可能性が高い状況の中で、本命ではない「お試し改憲」を提案することは改憲派にとってリスクが高過ぎる。

だから、最初の改憲発議は、十分な広報（というよりも嘘宣伝）を経た上で、9条関連で行われるはずである。

その⑩　自衛隊明記は、「お試し」ではなく「騙し討ち」改憲だ

憲法論議が続く中で、最近、「お試し改憲」という言葉が広く世間に知られるようになった。

憲法自体がその96条で憲法改正の可能性を認め、その手続きを定めているにもかかわらず、30年も前のわが国では、閣僚が「改憲」に論及しただけで首が飛んだ事例があった。それくらい世論の改憲「アレルギー」は強かった。

そのような風潮の中で、自民党系の自主憲法の月例研究会で、この改憲論議自体を

タブー視するアレルギーを緩和する対策が話し合われたことがあった。そこで、新しい人権（プライバシー、環境権、知る権利）を加憲するなら、国民の権利が増えるだけで抵抗感はないだろう……と語り合った。そうしてアレルギーを取り除いた後に本命の9条改憲に進む予定が立てられていた。

その考え方が、東日本大震災の直後に「緊急事態条項」先行論になり、「高等教育無償化」も加わった。しかし、これらの提案はすでに公然と論破されてしまっている。そこで、お試し改憲が本命とつながったものが、最近の「自衛隊加憲」論である。いわく、現行の9条は一字も変えない。ただ、現状の「国民に支持された」自衛隊を憲法の中に明記するだけだ。しかし、これは「お試し」というよりはいわば「騙し討ち」改憲である。

かつて確立されていた政府見解では、9条は、1項で侵略戦争を放棄し、2項で軍隊プラス交戦権（つまり国際法上の戦争の手段と資格）を奪うことにより「海外派兵」を禁じていた。だから、国内だけで活動する自衛隊は第二警察（行政権）として合憲であった。

にもかかわらず、2014年に安倍政権は、憲法の限度を超えて政府見解を変更し、「違憲に」自衛隊に海外派兵の道を開いた。その上で、他の行政機関を差し置いてその違憲な海外派兵を行う自衛隊だけを憲法に明記することは、わが国が普通の軍事大国になることに他ならない。「何も変わらない」のではない。

北朝鮮と中国の軍事的脅威には本気で専守防衛に徹することこそが最も有効である。アメリカと世界を転戦することは、新しい敵をつくることに他ならない。すでに、現時点で、軍事費破産も目に見えている。答えは明白である。

その⑪　憲法の「改悪」と言うべきだ

かつて、わが国の論壇は「改憲派」と「護憲派」に分かれて対立していた。

憲法96条が「改正」手続きを定めているために、改憲派は自らを「改『正』派」と自称していた。しかし、その主張は周知のとおり明治憲法に戻ろうという「改『悪』」そのものである。それに対して、護憲派は改「正」反対とは言い難いため、長いこと「憲法『改定』反対」などと変な表現を使っていた。

私が改憲論議に初めて参加した30年以上前は、護憲対改憲の二元論の時代で、私のような「護憲的改憲論」は居場所がなかった。護憲派からは「『改憲』とは論外」と言われ、改憲派からは「『護憲』とはけしからん」と言われ、私は久しく孤立してきた。

しかし、最近になって、急に、護憲派が率直に「憲法『改悪』反対」と表現するようになってきた。

これは、一見ささいなことのようだが、実は大きな変化である。つまり、それまでは改憲を「論ずる」こと自体を拒否して、改憲論議に応じないことにより改憲論を封殺しようとしてきた護憲派が、それでは改憲の流れを押しとどめられないことにようやく気づき、改憲論議に参加し始めた証しである。そして、改憲派の主張の「内容が悪い」から反対するという姿勢に転じ始めた結果である。

これはよいことである。これまで長期間にわたり護憲派が論争を拒否してきたために、改憲派は反論が存在しない場で好き放題を語ってきた。しかし、その内容は、立憲主義をわきまえない「空恐ろしい」もので、権力者が憲法を使って「主権者であるはず」の国民をしつけよう……というとんでもない代物である。

あのままでは権力と資金力のある憲法改悪派が一方的に国民を洗脳してしまう危険に気づいた護憲派が、ようやく反論を始めたように見える。これは、一見、遅きに失したきらいはあるが、決して遅くはない。なぜなら、改憲派が主張している新憲法案はすでに私たちが指摘したように「憲法」の名に値しないものであるために、両派同席の公開論争が始まりさえすれば正否はおのずと明らかになるからである。そうして、私たちは、憲法改悪を阻止し、自らの主権と人権を守らなければならない。

■その⑫　すでに起きている憲法破壊こそが問題だ

最近の改憲論議は憲法「改悪」を許すか否か？　の論争であるが、それ以前にすでに「現行憲法の破壊」が進行している事実を改めて指摘しておきたい。

小泉内閣以来、「新自由主義」という方針が正しいことのように掲げられている。しかし、その意味するところは「強者も弱者も自分のことは自分で責任を負え」である。それは、強者と弱者がハンディなしで競争する弱肉強食の勧めであり、結果が格差社会になることは明らかで、事実そうなってしまった。

しかし、憲法25条は全ての国民に「健康で文化的な最低限度の生活を保障」しており、その意味は、「国家が経済的弱者を生み出さず、同時に、自由競争の敗者は国家が支援する」という、国家に対する命令である。

にもかかわらず現実は、貧しい家庭の子は自分で借金をして大学に進学しろ……という国策の結果、多数の若者が学費ローン地獄に苦しんでいる。

また、自由民主主義世界で最強の特定秘密保護法が制定されたことにより、主権者であるはずの国民は、政府が秘密指定した行政情報を永久に知ることができない。その結果、私たちは政府の不正を監視する手段を奪われてしまった。

さらに、本来はマフィアの犯罪を取り締まる条約のために必要とされる「共謀罪」を、政府は、オリンピックに備えテロ対策に必要だと偽り、国会審議を省略してまで成立させてしまった。そして、「共謀」という「行動前」には摘発せず「準備」という「行動後」に摘発するから安全だ……とたばかっている。

しかし、準備をきっかけとして共謀に遡って立件する以上、共謀の段階から監視しておく必要がある。つまり、常に盗聴、監視（カメラ）、尾行、潜入捜査をしていない限り立件できない犯罪類型が立法された以上、私たちのプライバシーはすでに危殆に瀕しているのである。

このように、すでに現行憲法の運用の実態がさまざまに改悪されている。そして、その主役の権力者たちが、憲法からもっと自由になろうと、虚言を弄して憲法の明文改悪を提案してきている。私たちは、心を開いてこの事実を直視すべきである。

その⑬　国民投票の欠陥を承知の上で準備すべきだ

護憲派は、いまでも基本的には改憲論議に消極的で、国民投票の手続きを語ることも嫌う傾向がある。しかし、改憲のための国民投票をできるだけ早く実現したいと自民党は考えている。

つまり、5回の国政選挙に連勝し、改憲を党是と考えている自民党が、衆参それぞれ3分の2以上の議席を従えていて、改憲の国民投票に打って出ないと考えるほうが不自然だからである。

そこでまず、現行法の下では、103カ条の全文の改憲を一括で問うことは不可能なので、関連ある項目ごとに主権者国民の意思が問われることになる。

だから、一番あり得るケースとしては、現行9条はそのままにして、あの「感じのよい」自衛隊を明記するだけの加憲が提案されてくることが考えられる。

そしてそれは、2カ月から6カ月の幅で公式に国民的討論にさらされることになる。

議員や首長の地位を争う公職選挙と異なり、権限つまり利権を伴う争いではなく、国の将来像を争ういわば「哲学論争」であるために、国民投票法は公職選挙法に比べ運動規制が少ない。例えば、公務員や教員も、職権乱用を伴わない限り、意見表明は自由である。

しかし、いま、一番問題だとされている点は、投票2週間前までの広報活動について費用の制限がないことである。その結果、国家権力と莫大な政治資金を握っている与党が、電通とメディアを従えて一方的なキャンペーンを行い、有権者を洗脳してしまいかねない危険がある。

同時に、国民投票の際には、賛否両論「同ページ数」の解説書が公費で全有権者に配布される。だから、護憲派は、改憲派から「神学論争」などと揶揄されることのない明確で平易な反論文を用意する責任がある。

さらに、国民投票法には最低投票率の規定がない。それは、例えば、国民の過半数が投票しなければ投票自体が成立せず事実上の否決になる仕組みであるが、わが国にはそれがない。だから、護憲派が投票ボイコットを唱道して改悪改憲を潰すこともできない。

国民投票は現行法の下で必ずやって来る。だから、有権者は、現行制度を承知の上で真剣に対応する準備をすべきである。文字どおり、国すなわち私たちの将来が懸かっているのだから。

その⑭　議論から逃げる「論客」たちの愚

かつて新進党という大政党が存在していた時に、改憲派と護憲派の両派の学者を招いて全党的な討論のきっかけにしようという企画があった。私は改憲派として指名され応諾した。同党の憲法調査会長は、次に、護憲派の代表として某有名大学の教授（当時）に参加要請に行ったところ、その教授は、同席者が私だと知った途端に、「私は意見の違う人とは同席しません」と断ったとのことである。その大学出身の代議士が興奮気味に私に報告してくれた。

先年、ある新聞社が発行する週刊誌で護憲派対改憲派の対談が企画され、私と改憲派の高名な評論家が指名され、まずは両名とも応諾した。ところが、対談前日に編集者から電話があり、「お相手から電話があり、『小林の書いたものを集めて読んだが、とうてい承服できないから対談はお断りする』と言われた」と知らされた。

どちらも言論人として失格である。つまり、人間は本来的に不完全であるし、社会的事象もさまざまで複雑である。だからこそ、自由に論じ合うことで共通のよりよい解答を発見できるはずである。これが表現の自由の機能・価値である。その教授もその評論家も、自分から率先してその社会的役割を担ってきた者ではないか。

ところが、いまでも両派は仲間内で会合を開き、反論の存在しない場所で一方的な自説のみを熱く語り合いうなずき合っている。これではまるでそれぞれに「異教徒」の集団である。

護憲派は、北朝鮮と中国の軍事的脅威に対しては単純に「平和外交こそが大切だ」などと（実体を示せない）空想的で無責任なことを言い合っている。他方、改憲派は「わが国には、日本国憲法を超える不文の国体としての憲法がある」などと、世界では絶対に通用しない非常識を真顔で語り合っている。

このままでは、改憲国民投票の前に不可欠な国民的討論は事実上成立しないことになりかねない。

だから、両派は、意見の異なる相手とこそ冷静に議論を噛み合わせる場を多く設けるべきである。その点で、「公平」と称して議論を不鮮明にしてしまうマスコミの罪は重い。

その⑮「みっともない憲法」「美しい憲法」という筋違い

安倍首相（当時）が日本国憲法のことを「みっともない憲法」と呼んだという。また、いま、改憲を唱道する中心団体の名称は「美しい日本の憲法をつくる国民の会」という。

しかし、私は、こういう名称自体が「美しくない」とは思わないが、「正しくない」と思う。

「美しい」あるいは「みっともない」とは、本質的に各人の主観が決めるべき事柄で、それらにはもとより客観的な基準などあり得ない。例えば、同じ花や景色や異性を見ても、それを美しいと思う人も思わない人も必ずいる。それは各人のＤＮＡが違うからで、お互いに批判のしようもない。各人の「人格的自律」を尊重し合うことは、自由で民主的な社会の基本的な前提である。

また、トランプ大統領（当時）に対する安倍首相（当時）の態度を「すばらしい」と称賛する者がいることは承知しているが、逆に「みっともない」と苦々しく思う者がいることも事実である。

このように本来は各人がそれぞれ自由に決めていい事柄を「憲法」という最も公的なものに冠したがる人物は、全体主義者で、自分が正しいと考えることを他者も同じに考える「べきだ」と考え、必ず、「全体」つまり国家の名で自分の考えを他の全ての人々に押し付けようとするものである。

その行き着くところは、歴史が教えているように、その者の価値観を共有しない者は「非国民」だという人格否定を被る。つまり、権力者が「美しい」と思うことは他の人々も「美しい」と思いなさい……という発想である。恐ろしい愚か者である。

現行憲法が、表現の自由、婚姻の自由などを保障していることの意味は、各人がそれぞれに「良い」(「美しい」も含まれる)と思うように生きなさい……ということである。これが「自由」というもので、この「人格的自律」こそが「人権」の本質である。

だから、「美しい」などという、もとより法で決めようのない法外の事実を冠した改憲運動など、そもそも憲法論ではない。

そして、こんな無教養な人々に憲法を語らせている日本の論壇の現状を、私は「みっともない」と思う。だから、私はあの会の代表とぜひ公開討論を行いたいと切に願っている。

その⑯「三大原則を維持する」という改憲派の嘘

自民党の責任ある政治家が改憲論に触れる際に、前置きとしてほぼ必ず語る話がある。それは、「日本国憲法の三大原則（国民主権、平和主義、基本的人権の尊重）は守った上での改憲を提案している」という話である。

これは、聞く人々に、現行憲法の長所を守った上での改良提案なのだ……という安心感を与える。

しかし、すでに2012年から公表されている自民党の改憲草案を読む限り、それは明白な嘘である。

まず、国民主権について、自民党の草案は、現在の権力者たち（つまり自民党政権）が憲法を使って全国民を管理するものに変えようとしている。つまり、現行憲法99条は、主権者国民の最高意思としての憲法を権力担当者（つまり政治家以下の公務員）が「尊重擁護」するように命じている。ところが、自民党草案の102条は、まず全国民が憲法を「尊重する」ことを命じ、その上で権力担当者にその憲法を「擁護」する（つまり一般国民から犯されないように守る）ことを命じている。これでは、国民主権ではなく権力担当者主権である。

次に、平和主義について、現行憲法9条2項が「軍隊」と「交戦権」（つまり国際法上の戦争の道具と法的資格）を禁じているので、わが国は海外派兵できないはずである。ところが、自民党の草案は、国防軍と自衛権を明記し、わが国を普通の軍事大国にする提案である。これでわが国は政策実現手段としての戦争ができることになる。軍国主義ではないか。

さらに、人権尊重について、現行憲法21条は無条件で一切の表現の自由を保障している。ところが、自民党の草案は、それに2項を加えて、「公の利益」または「公の秩序」に反する表現は禁じられることになっている。これは現在の中国の憲法と同じ構造である。中国に政府を批判する表現の自由がないことは公知の事実である。

このように、自民党が枕詞（まくらことば）のように用いる「日本国憲法の三大原則は守った上での改憲」という表現は、明白な嘘である。

言葉を大切にしない人々が最高法の文言を弄ぶ不謹慎に騙されてはならない。

その⑰「立憲主義」の意味まで変更する改憲派の変な理屈

安倍政権による現行憲法の運用は、憲法をないがしろにしていたために、しばしば、「立憲主義に反する」と批判された。

それに対して、自民党の政治家や御用学者は、「立憲主義」の意味を変えてしまうことにより「批判は当たっていない」と反論することが多い。

言うまでもないことであるが、「立憲主義」とは、主権者国民の最高意思（命令）である憲法を政治家以下の公務員は守らなければならない……という明白な原則である。

ところが、自民党の政治家などは、しばしば、「立憲主義とは、『権力分立』と『人権保障』のことであるから、自民党の改憲草案などを『立憲主義にもとる』とする批判は当たっていない」と反論する。

しかし、欧米の近代市民革命の中から生まれてきた「立憲主義」は、そんな無内容な形式主義的意味のものではない。

アメリカの独立戦争の経緯が雄弁に語ってくれている。まず、人間には皆、平等の資格がある。そして、皆がそれぞれに幸福になるために国家というサービス機関が作られた。その権力を神ならぬ不完全な人間が預かるので、憲法で枠をはめ、権力者はそれに従うべきである。政府が誤作動した場合は主権者国民はそれを代える権利がある。

だから、権力分立も、形式的にそれが書かれていさえすればよいのではなく、実態において権力間の牽制と均衡が働いていなければならない。加えて、民主的手続きを経て作られた法律とそれを執行した行政処分であっても、国民の人格的生存に不可欠な法益（人権）を害したら無効になる。

だから、形式的には「権力分立」が整っていても、選挙制度と人事権を利用して首相が国会を従属させたり、政権が長期に固定化した結果、司法官僚が違憲審査権の行使に消極的になってしまったら、実質的には権力分立が機能していないことになる。また、形式的には「人権」のリストが憲法に明記されていても、政府が認定する「公益」により容易に人権を制約できるような運用や条文構成であれば、そこには実態において「立憲主義」は存在していないことになる。

■その⑱　「憲法改悪提案」は必ず否決できる

憲法の「改正」or「改悪」の判断基準は明白である。「改正」とは、その条文の変更により、主権者国民の幸福が増進されるものであり、「改悪」とは、逆に、国民の幸福が減殺（げんさい）される条文変更である。

そこで、最近、世論の動向を探るかのように、高等教育の無償化、自衛隊の加憲などが提案されているが、それらに惑わされず、まず、改憲を党是とする自民党の「憲法観」を確認することこそが重要である。そのためには、同党が２０１２年に党議決定を経て堂々と公開している草案を一読すればよい。そこには、改憲運動の主体である自民党の憲法観が明確に示されている。

まず、同草案は、１０２条で、国民全員に憲法を「尊重」する義務を課し、政治家以下の公務員にその憲法を「擁護」する義務を課している。つまり、一般国民が「国旗・国歌を尊重」（3条）しているか？　「国防に協力」（9条の3）しているか？「家族は仲良く」（24条）しているか？　を権力者が管理する仕組みになっている。しかし、これではそもそも憲法ではない。「権力者による国民管理法」である。憲法とは、一時的に権力を預かっている本来的に不完全な者たちが権力を乱用しないように、主権者国民の最高意思として、権力者たちが「尊重」すべき規範である。

また、同草案は、21条で、「一切の表現の自由は保障する」と規定しながら、続けて、「公益及び公共の秩序を害する」と政府が認定した場合にはその自由は認めないと明記している。この構造は中国憲法と同じである。

これだけでも、自民党が提案してくるであろう改憲案が「改悪」の提案になることは必至である。

これまでの総選挙で自公政権は、選挙制度と野党の分裂に助けられ、4割台の得票で7割台の議席を得て連勝してきた。しかし、改憲国民投票では投票者の過半数の賛成がなければ承認されない。だから、いままで過半数の得票で支えられたことのない政権側も不安なはずである。そこで、私たちも、腰を据えて改憲提案を吟味し、論ずべきは論じ、その結果として、否決すべきものは否決できるはずである。

その⑲　国民投票が来ることを前提に準備を進めるべきだ

今回の緊急連載の過程で、たくさんの友人・知人から多くのことを教えてもらった。

心から感謝している。そこで、この連載を終えるに当たり、付言しておきたいことがある。いわゆる護憲派の混乱についてである。

まず、改憲・護憲論争は、かつて私が30年前から参加していた当時の「学術論争」ではない。もはやそれは「政治闘争」の段階に至っている。だから、今頃になって護憲派が「護憲的改憲」などという（私も30年も前からやっていたが）対案を出すなどということは、単なるエネルギーの無駄か、本当の焦点をぼかしてしまうだけで、無意味である。

護憲派・改憲派にかかわらず、今、主権者としての国民が意識を集中すべきは、すでに事実上、改憲の発議権を握っている自民党政権が２０２２年7月の参議院半数改選までに提起してくる可能性の高い具体的な改憲案そのもの（の是非）である。もちろん、いまだ結論は出ていないが、すでに9年以上も公にされている自民党の改憲草案に示された異常な「憲法」観と、過去数年間に安倍首相（当時）が戦争と平和と9条について語ったことから、出てくる提案の内容はおよそ想像がつく。だから、もはやその点の分析にこそ皆で注力すべき段階である。

また、ある野党党首が「自民党の改憲案を国民投票で必ず否決する」と語ったら、ある友好的な論客が「国民投票をやらせたら負ける。だから国民投票をやらせたら駄目だ」と吠えたとのことである。しかし、現実の国会の議席数と安倍前首相等の使命感に照らして、野党には発議を止める手だてなどない。だから、その客観的な非力をいまいさめても、それでは改憲発議の瞬間に護憲派は戦わずに負けてしまうことになる。だから、真に護憲を考えている者ならば、今は、国民投票があることを前提に政府からの改憲提案を討ち取る反論の準備を真剣に進めるべき時である。

権力者を縛るべき憲法を常々「不自由だ」と不満を言ってきた権力者たちが考える「壊憲」案など、広く公論が始まれば憲法論として立ち行かなくなることは必定である。

もはやここまで来たら、決してなめてかかってはいけないが、論争を恐れては負けであるし、避ける必要もない。

本書は２０１７年10月から２０２１年3月まで『日刊ゲンダイ』に掲載された「ここがおかしい　小林節が斬る！」から主要原稿を抜粋し、加筆・修正してまとめたものです。

小林 節（こばやしせつ）

1949年、東京生まれ。慶應義塾大学法学部卒業、法学博士。現在、慶應義塾大学名誉教授、弁護士。ハーバード大学ロー・スクール客員研究員、慶應義塾大学教授、北京大学招聘教授、ハーバード大学ケネディ・スクール・フェローを務めた。オトゥゲンテンゲル大学（モンゴル）名誉博士。『日刊ゲンダイ』紙上にてコラム「ここがおかしい 小林 節が斬る！」を連載中。

「人権」がわからない政治家たち

2021年5月27日 第1刷発行
2022年5月25日 第4刷発行

著者 小林 節

発行者 寺田俊治

発行所 株式会社 日刊現代
東京都中央区新川1-3-17 新川三幸ビル
郵便番号 104-8007
電話 03-5244-9600

発売所 株式会社 講談社
東京都文京区音羽2-12-21
郵便番号 112-8001
電話 03-5395-3606

印刷所／製本所 中央精版印刷株式会社

本文データ制作 株式会社キャップス

ISBN978-4-06-524155-4